Les Sujets

Mathématiques

Nouveau programme

NON CORRIGÉS

Chantal Carruelle
Françoise Isblé
Professeurs de Mathématiques

NATHAN

Dans cet ouvrage

> 21 sujets complets de juin 99 regroupés par type d'activités

Conçues pour vous préparer activement au Brevet 2000, ces annales vous présentent tous les sujets de France métropolitaine posés à la session de juin 1999 du Diplôme National du Brevet.

Ces sujets sont regroupés sous trois rubriques, correspondant aux trois parties de l'épreuve :

- activités numériques ;
- activités géométriques ;
- problèmes.

> Plus de 100 exercices supplémentaires, classés par thèmes

La deuxième partie de l'ouvrage propose une sélection d'exercices et problèmes choisis parmi les sujets des sessions antérieures. Ils ont été classés par thèmes, pour permettre un entraînement tout au long de l'année.

En début d'ouvrage, un tableau thématique des sessions antérieures permet de retrouver rapidement un exercice sur un point particulier du programme

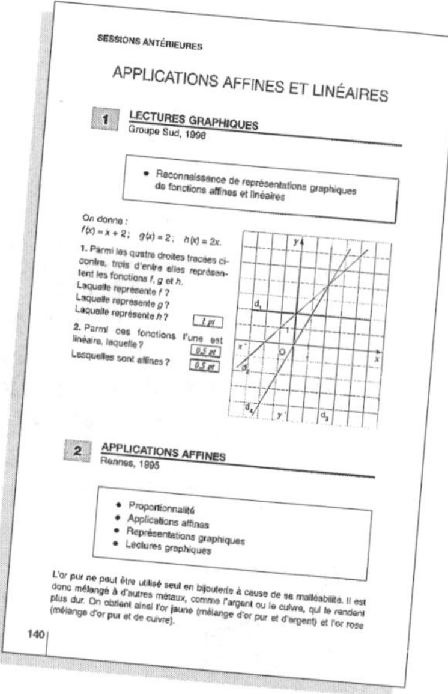

SESSIONS ANTÉRIEURES

APPLICATIONS AFFINES ET LINÉAIRES

1 LECTURES GRAPHIQUES
Groupe Sud, 1998

- Reconnaissance de représentations graphiques de fonctions affines et linéaires

On donne :
$f(x) = x + 2$; $g(x) = 2$; $h(x) = 2x$.

1. Parmi les quatre droites tracées ci-contre, trois d'entre elles représentent les fonctions f, g et h.
Laquelle représente f ?
Laquelle représente g ?
Laquelle représente h ? 1 pt

2. Parmi ces fonctions l'une est linéaire, laquelle ? 0,5 pt
Lesquelles sont affines ? 0,5 pt

2 APPLICATIONS AFFINES
Rennes, 1995

- Proportionnalité
- Applications affines
- Représentations graphiques
- Lectures graphiques

L'or pur ne peut être utilisé seul en bijouterie à cause de sa malléabilité. Il est donc mélangé à d'autres métaux, comme l'argent ou le cuivre, qui le rendent plus dur. On obtient ainsi l'or jaune (mélange d'or pur et d'argent) et l'or rose (mélange d'or pur et de cuivre).

140

Maquette intérieure et couverture : Thierry Méléard • Illustration de couverture : Dominique Boll
Édition : Caroline Mauléon • Fabrication : Jacques Lannoy, Audrey Walter
I.S.B.N. : 2-09-182709-6 • © Nathan/HER, 1999 - 9 rue Méchain, 75014 Paris

vous trouverez :

≫ Des compléments pratiques

Au début de chaque sujet, un encadré précise les notions abordées.

Un barême indicatif est précisé à droite du texte.

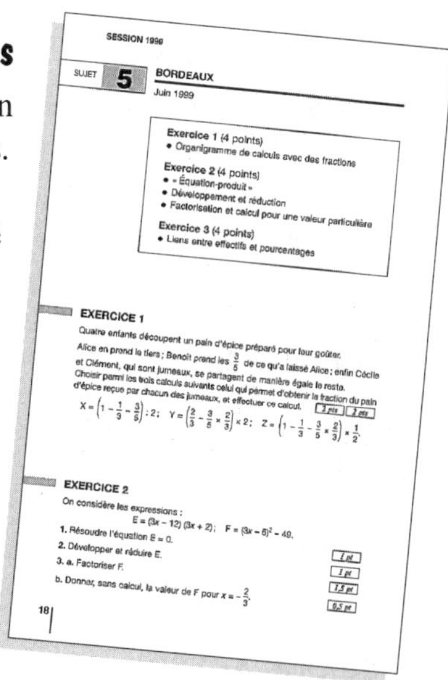

SESSION 1999

SUJET **5** **BORDEAUX**

Juin 1999

Exercice 1 (4 points)
- Organigramme de calculs avec des fractions

Exercice 2 (4 points)
- « Équation-produit »
- Développement et réduction
- Factorisation et calcul pour une valeur particulière

Exercice 3 (4 points)
- Liens entre effectifs et pourcentages

EXERCICE 1

Quatre enfants découpent un pain d'épice préparé pour leur goûter.

Alice en prend le tiers ; Benoît prend les $\frac{3}{5}$ de ce qu'a laissé Alice ; enfin Cécile et Clément, qui sont jumeaux, se partagent de manière égale le reste.

Choisir parmi les trois calculs suivants celui qui permet d'obtenir la fraction du pain d'épice reçue par chacun des jumeaux, et effectuer ce calcul. 2 pts 2 pts

$X = \left(1 - \frac{1}{3} - \frac{3}{5}\right) : 2$; $Y = \left(\frac{2}{3} - \frac{3}{5} \times \frac{2}{3}\right) \times 2$; $Z = \left(1 - \frac{1}{3} - \frac{3}{5} \times \frac{2}{3}\right) \times \frac{1}{2}$.

EXERCICE 2

On considère les expressions :

$E = (3x - 12)(3x + 2)$; $F = (3x - 5)^2 - 49$.

1. Résoudre l'équation $E = 0$. 1 pt

2. Développer et réduire E. 1 pt

3. a. Factoriser F. 1,5 pt

b. Donner, sans calcul, la valeur de F pour $x = -\frac{2}{3}$. 0,5 pt

18

ET EN PLUS...

≫ En début d'ouvrage :

- des conseils pratiques ;
- un tableau des sujets par académies, pour retrouver dans son intégralité un sujet de juin 99.

≫ En fin d'ouvrage :

- un formulaire, qui rappelle les principales formules et définitions à connaître.

SOMMAIRE

TABLEAU DES ACADÉMIES
SESSION 1999

ACADÉMIES	SUJETS DES ACTIVITÉS NUMÉRIQUES		SUJETS DES ACTIVITÉS GÉOMÉTRIQUES		SUJETS DES PROBLÈMES	
Amérique du Nord	1	p. 10	22	p. 52	43	p. 100
Amiens	2	p. 12	23	p. 54	44	p. 102
Asie	3	p. 14	24	p. 57	45	p. 104
Asie du Sud-Est	4	p. 16	25	p. 59	46	p. 105
Bordeaux	5	p. 18	26	p. 61	47	p. 106
Centres étrangers I	6	p. 20	27	p. 63	48	p. 107
Centres étrangers II	7	p. 22	28	p. 65	49	p. 108
Centres étrangers III	8	p. 24	29	p. 67	50	p. 112
Clermont-Ferrand	9	p. 26	30	p. 69	51	p. 114
Créteil - Paris - Versailles	10	p. 28	31	p. 72	52	p. 115
Grenoble	11	p. 30	32	p. 74	53	p. 117
Groupe Est : collège	12	p. 33	33	p. 76	54	p. 119
Groupe Est : technologique	13	p. 34	34	p. 78	55	p. 121
Groupe Sud	14	p. 36	35	p. 81	56	p. 122
Inde	15	p. 38	36	p. 83	57	p. 124
Lille	16	p. 40	37	p. 85	58	p. 127
Limoges	17	p. 42	38	p. 87	59	p. 129
Nantes	18	p. 44	39	p. 89	60	p. 130
Poitiers : collège	19	p. 46	40	p. 91	61	p. 133
Rennes : collège	20	p. 48	41	p. 93	62	p. 135
Rennes : professionnelle	21	p. 50	42	p. 95	63	p. 137

Notes :
Groupe Est collège : Besançon, Nancy-Metz, Reims, Strasbourg, Lyon, Dijon.
Groupe Est technologique : Besançon, Nancy-Metz, Reims, Strasbourg, Lyon, Grenoble.
Groupe Sud : Toulouse, Montpellier, Aix-Marseille, Nice-Corse.

TABLEAU THÉMATIQUE SESSIONS ANTÉRIEURES

CONSEILS PRATIQUES

L'ÉPREUVE DE MATHÉMATIQUES AU BREVET

Le Brevet est votre premier examen. Il revêt pour vous une grande importance. Votre attention doit être attirée par le fait que les mathématiques comptent **coefficient 3** : 2 pour l'écrit et 1 pour le dossier scolaire.

DÉROULEMENT DE L'ÉPREUVE DE MATHÉMATIQUES

1. Durée : 2 h.

2. Acquisitions à évaluer

Les capacités à évaluer s'organisent autour des pôles suivants :

- exécuter et exploiter un calcul, un graphique ou un tracé géométrique,
- interpréter graphiquement une situation numérique ou interpréter numériquement une situation graphique ou géométrique,
- mettre en œuvre des connaissances et des méthodes pour la résolution de problèmes simples.

3. Nature de l'épreuve écrite

L'épreuve comporte trois parties :

Les deux premières parties portent sur des applications directes des connaissances et des techniques figurant au programme. Chacune d'elles est constituée d'un petit nombre d'exercices indépendants.

Pour la série collège, la première partie est à dominante numérique, la seconde est à dominante géométrique.

La troisième partie évalue la capacité à mobiliser des connaissances pour résoudre un problème. Elle est constituée d'un petit nombre de questions enchaînées de difficulté progressive.

4. Notation : sur 40

Première partie : 12 points.

Deuxième partie : 12 points.

Troisième partie : 12 points.

Rédaction et présentation : 4 points.

SAVOIR RÉDIGER ET PRÉSENTER UNE COPIE AU BREVET

I. Une lecture rapide du texte pour commencer

Il est nécessaire de savoir gérer votre temps.

Vous disposez de 2 heures pour traiter 3 parties d'égale valeur (12 points). Il est conseillé de réserver 35 minutes pour chacune d'elles, les quinze minutes restantes seront utilisées pour la lecture du texte et la relecture de votre copie dont la qualité sera appréciée (4 points). Tout au long de l'épreuve, **contrôlez le temps passé en fonction du barème** indiqué **par exercice.**

II. Deux usages à respecter

1. L'orthographe

Les fautes d'orthographe perturbent la lecture et indisposent le lecteur.

2. La forme impersonnelle

Évitez le « je » ou le « nous » dans la rédaction.

III. Trois habitudes à prendre

1. Indiquer clairement **les hypothèses.**

2. Dans la rédaction des réponses, **faire référence aux hypothèses.**

3. Indiquer en français les **propriétés** ou **théorèmes** utilisés.

IV. Quatre questions à régler

1. Faut-il recopier les questions ?

C'est souhaitable car cela permet de vérifier si la réponse est en accord avec la question et cela rend plus claire la rédaction.

2. Faut-il utiliser des symboles logiques ?

Tout recours abusif aux symboles logiques est à éviter.

Les formules doivent être intégrées à des phrases françaises correctement rédigées.

3. Faut-il travailler au brouillon ?

Il est recommandé de faire tous les calculs au brouillon ; de tracer les figures ou les constructions de manière à apprécier la place nécessaire à leur réalisation sur la copie.

4. Faut-il suivre l'ordre des questions ?

Si la rédaction est claire avec la copie des questions, il n'est pas obligatoire de suivre chronologiquement l'ordre des questions. Il faut traiter les questions dans l'ordre de préférence.

Session 1999

Activités numériques

SUJET **1**

AMÉRIQUE DU NORD

Juin 1999

Exercice 1 (2 points)
- Somme et produit de fractions

Exercice 2 (2 points)
- Somme et produit de radicaux

Exercice 3 (3 points)
- Développement et factorisation
- Résolution d'une « équation-produit »

Exercice 4 (1,5 point)
- Résolution d'une inéquation du premier degré et représentation graphique des solutions

Exercice 5 (3,5 points)
- Lien entre effectif et pourcentage
- Diagramme circulaire

EXERCICE 1

On donne les nombres $a = \frac{14}{15}$ et $b = \frac{7}{6}$.

Calculer A et B tels que : $A = a - b$ et $B = \frac{a}{b}$. *2 pts*

EXERCICE 2

Calculer les nombres E et F suivants, en donnant le résultat sous la forme : $a\sqrt{b}$ (avec a et b entiers et b le plus petit possible) :

$E = \sqrt{8} \times \sqrt{50} \times \sqrt{18}$ *1 pt*

$F = \sqrt{8} + \sqrt{50} + \sqrt{18}$. *1 pt*

EXERCICE 3

On considère l'expression suivante : $G = (3x + 1)^2 + (2x - 3)(3x + 1)$.

a. Développer et réduire G. *1 pt*

b. Factoriser G. *1 pt*

c. Résoudre l'équation : $(3x + 1)(5x - 2) = 0$. *1 pt*

EXERCICE 4

Résoudre l'inéquation suivante : $2x + 3 > -x - 6$. **1 pt**

Donner une représentation graphique des solutions sur une droite graduée. **0,5 pt**

EXERCICE 5

En 1997, dans une académie, 5 950 élèves, sortant de 3e de collège, ont été orientés de la manière suivante :

- seconde générale et technologique 58 %
- seconde professionnelle 27,6 %
- redoublement 8,5 %
- autres orientations 5,9 %

1. Combien d'élèves sont entrés en seconde générale et technologique à la rentrée 1997 ? **1 pt**

2. Construire un disque de 8 cm de diamètre et représenter à l'aide d'un diagramme circulaire les données de l'énoncé. On expliquera sur la feuille de copie le calcul de l'angle correspondant à la seconde professionnelle (arrondir à 1° près). **2,5 pts**

SUJET **2**

AMIENS

Juin 1999

Exercice 1 (3 points)
- Calculs sur les fractions
- Calculs sur les puissances de dix

Exercice 2 (2,5 points)
- Écriture de radicaux sous la forme $a\sqrt{b}$
- Somme de radicaux

Exercice 3 (3,5 points)
- Identités remarquables
- Développement - factorisation
- Résolution d'une équation-produit
- Valeur numérique d'une expression algébrique

Exercice 4 (3 points)
- Mise en équations d'un problème
- Résolution d'un système

EXERCICE 1

On pose $A = \dfrac{\dfrac{3}{2} - 1}{\dfrac{1}{2} + 1}$ et $B = \dfrac{1{,}2 \times 10^{-21}}{3 \times 10^{-20}}$.

Calculer A et B : vous ferez apparaître chaque étape de calcul et vous donnerez le résultat de A sous la forme d'une fraction la plus simple possible, et le résultat de B sous forme décimale. *3 pts*

EXERCICE 2

1. Écrire sous la forme $a\sqrt{b}$ où a et b sont des nombres entiers :

$\sqrt{45}$; $\sqrt{12}$; $\sqrt{20}$. *1,5 pt*

2. On considère le nombre $C = 2\sqrt{45} + 3\sqrt{12} - \sqrt{20} - 6\sqrt{3}$.

Écrire C sous la forme $d\sqrt{5}$ où d est un nombre entier. *1 pt*

EXERCICE 3

On considère l'expression $D = (3x - 1)^2 - 81$.

1. Développer et réduire D. *1 pt*

2. Factoriser D. *1 pt*

3. Résoudre l'équation : $(3x - 10)(3x + 8) = 0$. *1 pt*

4. Calculer D pour $x = -5$. *0,5 pt*

EXERCICE 4

Un confiseur prépare deux sortes de boîtes comportant des tuiles en chocolat et des macarons à la pâte d'amande.
Dans le paquet de la première sorte, il place 20 tuiles et 15 macarons : ce paquet sera vendu 96 F.
Dans le paquet de la seconde sorte, il place 10 tuiles et 25 macarons : ce paquet sera vendu 90 F.
Calculer le prix d'une tuile et celui d'un macaron. *3 pts*

SUJET **3**

ASIE

Juin 1999

Exercice 1 (4 points)
- Mathématisation d'un problème concret
- Résolution d'une inéquation du premier degré

Exercice 2 (5 points)
- Addition de radicaux
- Somme et produit de fractions
- Résolution d'une « équation-produit »
- Factorisation d'une expression

Exercice 3 (3 points)
- Mise en équation d'un problème
- Calculs de fréquences

EXERCICE 1

Alain et Bernard achètent des « deutsche mark » (DM) pour se rendre en Allemagne.
Alain les achète dans une banque à 3,50 F l'un et paye 15 F de frais. Bernard, avec une carte bancaire, les paye 3,75 F l'un mais n'a pas de frais.

1. Si Alain achète 50 DM, combien doit-il payer ? *0,5 pt*

Alain achète x DM ; exprimer en fonction de x le prix qu'il doit payer. *0,5 pt*

2. Si Bernard achète 80 DM, combien doit-il payer ? *0,5 pt*

Bernard achète x DM ; exprimer en fonction de x le prix qu'il doit payer. *0,5 pt*

3. Résoudre l'inéquation $3{,}50x + 15 < 3{,}75x$. *1 pt*
À partir de combien de DM est-il plus avantageux d'acheter ses DM à la banque plutôt qu'avec une carte bancaire ? *1 pt*

EXERCICE 2

1. Écrire sous la forme $a\sqrt{b}$, avec a et b entiers, le nombre A :

$$A = \sqrt{150} - 2\sqrt{24}.$$ *1 pt*

2. Écrire sous forme irréductible :

$$B = \frac{3}{8} + \frac{5}{4} \times \frac{7}{10}.$$ *1 pt*

3. Résoudre l'équation :

$$(2x + 3)(5x - 2) = 0.$$

1,5 pt

4. Factoriser :

$$C = 16 - (x + 3)^2.$$

1,5 pt

EXERCICE 3

Pour agrémenter la cour du collège, on a planté des arbustes à l'automne 1998.

1. Pendant l'hiver, 20 % des arbustes qui avaient été plantés sont morts. Au printemps 1999, il reste 76 arbustes.
Combien en avait-on planté à l'automne 1998 ? *1 pt*

2. On a mesuré la taille de ces 76 arbustes (voir le tableau).
Recopier et compléter le tableau en indiquant les fréquences en pourcentage, arrondies à 1 % près. *2 pts*

Taille	Effectif	Fréquence
1,3 m	12	
1,4 m	32	
1,5 m		
1,6 m	9	
	76	

SUJET **4**

ASIE DU SUD-EST

Juin 1999

Exercice 1 (2 points)
- Calculs sur les fractions

Exercice 2 (4,5 points)
- Écriture de radicaux sous la forme $a\sqrt{b}$
- Somme et produits de radicaux

Exercice 3 (3 points)
- Identité remarquable
- Développement - factorisation
- Calculs numériques

Exercice 4 (2,5 points)
- Mise en équations et résolution d'un système

EXERCICE 1

On donne :

$A = \left(\frac{3}{4} - \frac{1}{2}\right) \times 2 - 1$; $B = \left(\frac{2}{3}\right)^2 - \frac{3}{2}$. *1 pt* *1 pt*

Calculer A et B et donner le résultat sous la forme d'un quotient de deux nombres entiers.

EXERCICE 2

On donne :

$$C = \sqrt{12} \; ; \quad D = \sqrt{27} \; ; \quad E = \sqrt{20}.$$

a. Exprimer C, D et E sous la forme $a\sqrt{b}$ où a et b sont des nombres entiers, b étant le plus petit possible. *1,5 pt*

b. Calculer $C \times D$. *1 pt*

c. Calculer $C + D$ et $C \times E$, donner le résultat sous la forme $a\sqrt{b}$ où a et b sont des nombres entiers, b étant le plus petit possible. *2 pts*

EXERCICE 3

Soit F = $(3x - 5)^2 - (3x - 5)(x + 4)$.

a. Développer et réduire F. *1 pt*

b. Factoriser F. *1 pt*

c. Calculer F pour $x = 1$ puis pour $x = 4{,}5$. *1 pt*

EXERCICE 4

Deux cahiers et trois stylos coûtent 60 F.
Trois cahiers et deux stylos coûtent 10 F de plus.
Calculer le prix d'un cahier et le prix d'un stylo. *2,5 pts*

SUJET **5**

BORDEAUX

Juin 1999

Exercice 1 (4 points)
- Organigramme de calculs avec des fractions

Exercice 2 (4 points)
- « Équation-produit »
- Développement et réduction
- Factorisation et calcul pour une valeur particulière

Exercice 3 (4 points)
- Liens entre effectifs et pourcentages

EXERCICE 1

Quatre enfants découpent un pain d'épice préparé pour leur goûter.

Alice en prend le tiers ; Benoît prend les $\frac{3}{5}$ de ce qu'a laissé Alice ; enfin Cécile et Clément, qui sont jumeaux, se partagent de manière égale le reste.
Choisir parmi les trois calculs suivants celui qui permet d'obtenir la fraction du pain d'épice reçue par chacun des jumeaux, et effectuer ce calcul. *2 pts* *2 pts*

$$X = \left(1 - \frac{1}{3} - \frac{3}{5}\right) : 2 \,;\quad Y = \left(\frac{2}{3} - \frac{3}{5} \times \frac{2}{3}\right) \times 2 \,;\quad Z = \left(1 - \frac{1}{3} - \frac{3}{5} \times \frac{2}{3}\right) \times \frac{1}{2}.$$

EXERCICE 2

On considère les expressions :

$$E = (3x - 12)(3x + 2) \,;\quad F = (3x - 5)^2 - 49.$$

1. Résoudre l'équation E = 0. *1 pt*

2. Développer et réduire E. *1 pt*

3. a. Factoriser F. *1,5 pt*

b. Donner, sans calcul, la valeur de F pour $x = -\frac{2}{3}$. *0,5 pt*

EXERCICE 3

Il a été demandé aux familles de deux villages voisins S et T de répondre à la question suivante : « Êtes-vous favorable à l'aménagement d'une piste cyclable entre les deux villages ? ».

1. a. Dans le village S, 60 % des 135 familles consultées ont répondu « oui ». Combien de familles, dans ce village, sont favorables à ce projet ? *1 pt*

b. dans le village T, il y a 182 réponses favorables sur les 416 familles consultées.
Quel est le pourcentage de « oui » pour le village T ? *1 pt*

2. La décision d'aménager la piste cyclable ne peut être prise qu'avec l'accord de la majorité des familles de l'ensemble des deux villages. La piste cyclable sera-t-elle réalisée ? *2 pts*

SUJET **6**

CENTRES ÉTRANGERS I

Juin 1999

Exercice 1 (3 points)
- Calculs avec les radicaux

Exercice 2 (4 points)
- Développement et réduction
- Factorisation
- Résolution d'une « équation-produit »
- Calculs d'une expression pour des valeurs particulières

Exercice 3 (5 points)
- Angles et proportionnalité

EXERCICE 1

Soit $a = \sqrt{5}\left(1 - \sqrt{2}\right)$ et $b = 5 + \sqrt{2}$.

Calculer a^2, b^2, $a^2 + b^2$ et $\sqrt{a^2 + b^2}$. *1 pt* *1 pt* *0,5 pt* *0,5 pt*

EXERCICE 2

Soit l'expression : $G = (1 - 2x)^2 - 25x^2$.

1. Développer et réduire G. *1 pt*

2. Factoriser G. *1 pt*

3. Résoudre l'équation $(1 - 7x)(3x + 1) = 0$. *1 pt*

4. Calculer les valeurs de G pour $x = 0$, pour $x = \frac{1}{7}$ et pour $x = -1$. *1 pt*

EXERCICE 3

Un parc forestier compte 14 400 arbres. Le diagramme circulaire ci-dessous indique la répartition des sept variétés d'arbres plantés dans ce parc.

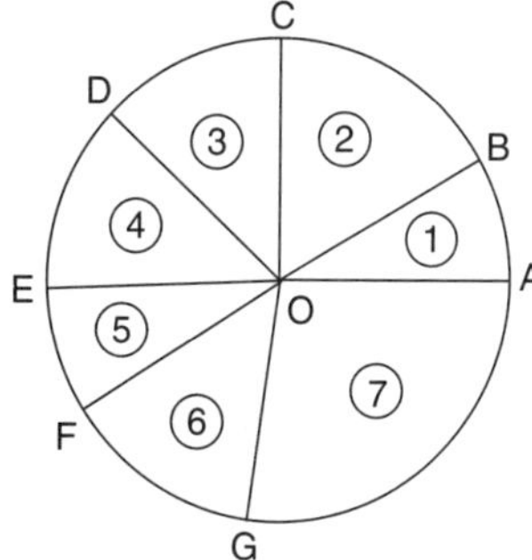

1 : pins
2 : chênes
3 : hêtres
4 : sapins
5 : charmes
6 : bouleaux
7 : châtaigniers

Données géométriques relatives à ce diagramme :

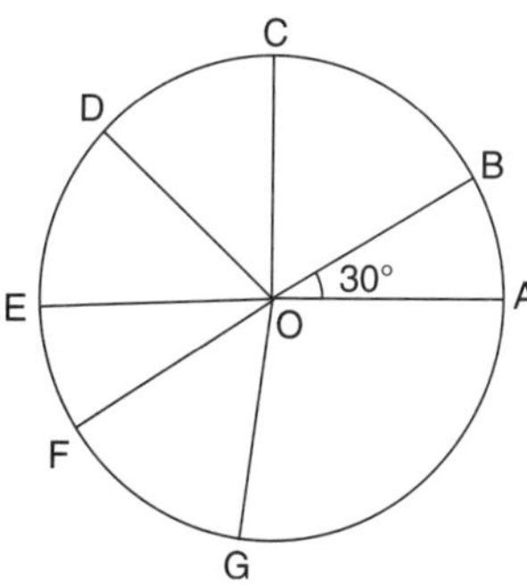

– [AE] et [BF] sont deux diamètres du disque ;
– (CO) et (AE) sont perpendiculaires ;
– l'angle $\widehat{AOB}$ mesure 30 degrés ;
– (OD) est la bissectrice de l'angle $\widehat{COE}$;
– la mesure de l'angle $\widehat{FOG}$ égale la moitié de la mesure de l'angle $\widehat{GOA}$.

1. Calculer les mesures des angles : $\widehat{BOC}$, $\widehat{COD}$, $\widehat{DOE}$, $\widehat{EOF}$, $\widehat{FOG}$ et $\widehat{GOA}$. *2,5 pts*

2. En déduire le nombre d'arbres de chaque variété plantés dans le parc forestier. *2,5 pts*

SUJET **7**

CENTRES ÉTRANGERS II

Juin 1999

Exercice 1 (4 points)
- Encadrement
- Pourcentages

Exercice 2 (4 points)
- Identité remarquable
- Valeur numérique d'une expression algébrique
- Utilisation d'une expression algébrique pour un calcul numérique

Exercice 3 (4 points)
- Résolution d'un système
- Mise en équations d'un problème

EXERCICE 1

Soit P le poids d'une personne en kilos et T sa taille en mètres.

Le nombre $I = \frac{P}{T^2}$ est appelé « indice de corpulence ».

Si l'indice de corpulence d'une personne est compris entre 25 et 30, cette personne est considérée comme étant en surcharge de poids. Si le nombre I est supérieur à 30, elle est considérée comme obèse.

1. Tom pèse 75 kg et mesure 1,75 m. Calculer son indice de corpulence. *1 pt*

2. Jim est en surcharge de poids et mesure 1,60 m. Donner un encadrement de son poids. *1 pt*

3. Aux États-Unis, l'obésité est un problème de santé publique important. Une étude révèle que sur un échantillon de 2 625 personnes, 630 sont obèses.
Quel est le pourcentage de personnes obèses dans cet échantillon ? *1 pt*

4. Sam se rend à un examen médical. La fiche de résultats indique : 66 kg soit 110 % du poids idéal.
De combien de kilos doit-il maigrir s'il veut retrouver son poids idéal ? *1 pt*

EXERCICE 2

1. Développer $A(x) = (2x + 1)(2x - 1)$. *1,5 pt*

2. Calculer $A(x)$ pour $x = \sqrt{5}$. *1 pt*

3. Expliquer comment on peut utiliser la première question pour calculer $20\,001 \times 19\,999$. *1,5 pt*

EXERCICE 3

1. Résoudre le système :

$$\begin{cases} 7a + b = 2{,}7 \\ 4{,}5a + b = 2. \end{cases}$$

2 pts

2. Le tarif d'une communication téléphonique locale est calculé de la manière suivante : un coût fixe b pour les trois premières minutes, auquel s'ajoute un coût a pour chaque minute suivante (a et b sont exprimés en francs).
Tom a extrait les renseignements suivants de sa facture de téléphone :

	Durée	**Coût**
Communications	10 min	2,70 F
locales	7 min 30 s	2,00 F

a. En utilisant ces renseignements, expliquer pourquoi a et b vérifient le système de la question **1**. *1,5 pt*

b. Quel serait le coût d'une communication locale de 17 min ? *0,5 pt*

SUJET **8**

CENTRES ÉTRANGERS III

Juin 1999

Exercice 1 (3 points)
- Écriture décimale d'un quotient
- Somme de radicaux
- Somme et quotient de fractions

Exercice 2 (1 point)
- Développement et réduction

Exercice 3 (0,5 point)
- Factorisation

Exercice 4 (2,5 points)
- Application d'un pourcentage à un nombre
- Mathématisation d'un problème concret et utilisation de la formule obtenue

Exercice 5 (5 points)
- Mathématisation d'un problème géométrique
- Résolution d'une équation et construction d'un point

EXERCICE 1

1. Prouver par des calculs que 0,0004 est une écriture décimale du nombre $A = \dfrac{36 \times 10^3 \times 10^{-5}}{9 \times 10^2}$. *1 pt*

2. On donne : $B = \sqrt{75} - \sqrt{12}$.

Écrire le nombre B sous la forme $a\sqrt{3}$ où a est un nombre entier. *1 pt*

3. On donne $C = \dfrac{5}{7} + \dfrac{2}{7} : \dfrac{3}{4}$.

Prouver par des calculs que $1 + \dfrac{2}{21}$ est aussi une écriture du nombre C. *1 pt*

EXERCICE 2

Soit D l'expression définie par : $D = (x - 3)^2 + x(x + 5)$.
Développer et réduire l'expression D. *1 pt*

EXERCICE 3

Soit E l'expression définie par : $E = 9 - x^2$. Factoriser l'expression E. *0,5 pt*

EXERCICE 4

Un commerçant fait une réduction de 20 % sur tous ses articles.

1. Une veste valait 300 francs. Quel est son prix après réduction ? *0,5 pt*

2. a. Soit x le prix d'un article avant réduction et soit y le prix du même article après réduction.
Exprimer y en fonction de x. *1 pt*

b. Un article vaut 188 francs après réduction.
Quel était son prix avant réduction ? *1 pt*

EXERCICE 5

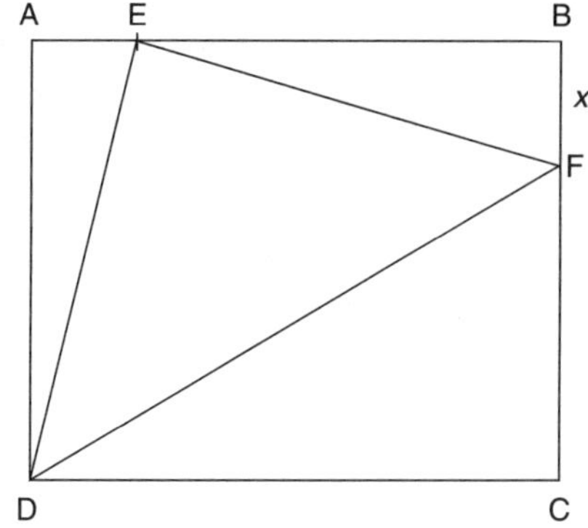

ABCD est un rectangle.
AB = 5 cm. AD = 4 cm.
E est le point de [AB] tel que : AE = 1 cm.
F est un point de [BC].
On note x la longueur BF exprimée en centimètres.

1. a. Calculer l'aire du triangle AED. *0,5 pt*

b. Exprimer l'aire du triangle EBF en fonction de x. *1 pt*

c. Exprimer l'aire du triangle DFC en fonction de x. *1 pt*

d. Démontrer que l'aire du triangle EDF, exprimée en cm^2, est $8 + 0{,}5x$. *1 pt*

2. Résoudre l'équation : $8 + 0{,}5x = 9{,}5$. *1 pt*

3. Sur la figure, placer le point F de [BC] tel que l'aire du triangle EDF soit 9,5 cm^2. *0,5 pt*

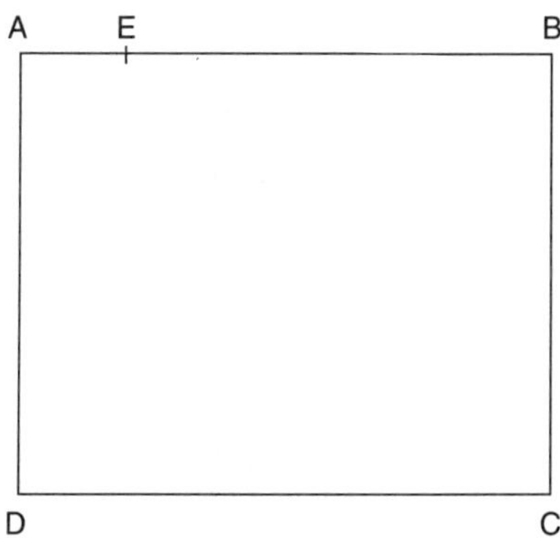

SUJET **9**

CLERMONT-FERRAND

Juin 1999

Exercice 1 (3 points)
- Calculs sur les radicaux
- Identités remarquables

Exercice 2 (2 points)
- Calculs sur les fractions

Exercice 3 (1,5 point)
- Calculs sur les puissances de dix
- Écriture décimale et scientifique

Exercice 4 (2,5 points)
- Applications affines et représentations
- Résolution d'une équation et interprétation de la solution

Exercice 5 (3 points)
- Pourcentages
- Résolution d'une équation

EXERCICE 1

On donne $A = 3\sqrt{2} - 4$ et $B = 3\sqrt{2} + 4$.

Calculer les valeurs exactes de A + B, A – B, A^2 et $A \times B$. *3 pts*

EXERCICE 2

Calculer et donner les résultats sous la forme la plus simple possible :

$$C = \frac{7}{4} - \frac{3}{4} \times \frac{8}{9}\ ;\quad D = \left(1 - \frac{2}{3}\right) : \left(1 + \frac{2}{3}\right).$$ *2 pts*

EXERCICE 3

Donner l'écriture décimale et l'écriture scientifique de E :

$$E = \frac{7 \times 10^{-12} \times 6 \times 10^{5}}{21 \times 10^{-4}}.$$ *1,5 pt*

EXERCICE 4

f et g sont deux applications affines définies par $f(x) = 2x + 2$ et $g(x) = -3x + 1$.

1. Sur une feuille de papier millimétré, placer un repère (O, I, J), et tracer les représentations graphiques d et Δ de f et g (on prendra OI = OJ = 1 cm). *1 pt*

2. Résoudre l'équation $2x + 2 = -3x + 1$. *1 pt*

Que représente la solution de cette équation pour les droites d et Δ ? *0,5 pt*

EXERCICE 5

Dans une entreprise, les salaires ont été augmentés de 1,5 % le 1er janvier 1999.

1. En décembre 1998, le salaire de M. Martin était de 8 246 F. Calculer son salaire en janvier 1999. *1 pt*

2. On désigne par x le salaire d'un employé en décembre 1998 et par y son salaire en janvier 1999.
Exprimer y en fonction de x. Donner le résultat sous la forme $y = ax$, a étant un nombre décimal. *1 pt*

3. En janvier 1999, le salaire de M. Durand est de 7 348,60 F. Quel était son salaire en décembre 1998 ? *1 pt*

SUJET **10**

CRÉTEIL - PARIS - VERSAILLES

Juin 1999

Exercice 1 (1,5 point)
- Addition, produit et quotient de fractions

Exercice 2 (1,5 point)
- Sommes et produits de radicaux

Exercice 3 (3 points)
- Développement et factorisation d'une expression
- Solutions d'une équation

Exercice 4 (3 points)
- Mise en équations d'un problème concret et résolution

Exercice 5 (3 points)
- Gestion de données et diagramme semi-circulaire

EXERCICE 1

Calculer et donner le résultat sous la forme d'une fraction la plus simple possible :

$A = \left(-\frac{5}{6}\right) : \left(\frac{4}{3}\right)$; $B = \frac{5}{6} + \frac{4}{3} \times \frac{15}{8}$. *0,5 pt* *1 pt*

EXERCICE 2

On pose $E = (\sqrt{5} + \sqrt{3})(\sqrt{5} - \sqrt{3}) - 8\sqrt{5}(\sqrt{5} - 1)$.

Écrire sous la forme $a + b\sqrt{5}$ (a et b sont des nombres entiers relatifs). *1,5 pt*

EXERCICE 3

On pose $F = (5x - 3)^2 - (5x - 3)(8x - 1)$.

1. Développer et réduire F. *1 pt*

2. Factoriser F. *1 pt*

3. Les nombres $\frac{3}{5}$ et $\frac{2}{3}$ sont-ils solutions de l'équation $(5x - 3)(-3x - 2) = 0$? *1 pt*

EXERCICE 4

Pour équiper une salle de réunion, M. Dupont achète des chaises et des tabourets.

• Chaque chaise coûte 200 francs et chaque tabouret 80 francs. Il paie au total 6 600 francs.

• Il a acheté 5 chaises de plus que de tabourets.

Quel est le nombre de chaises et le nombre de tabourets achetés par M. Dupont ? *3 pts*

EXERCICE 5

Dans un centre d'examen, après avoir corrigé 432 copies, on a fait le bilan suivant :

– 168 copies ont une note strictement inférieure à 10 ;

– 264 copies ont une note supérieure ou égale à 10.

Représenter ce bilan par un diagramme semi-circulaire (on prendra un rayon de 4 cm). *3 pts*

SUJET **11**

GRENOBLE

Juin 1999

Exercice 1 (4 points)
- Calculs sur les fractions
- Calculs sur les radicaux
- Identité remarquable

Exercice 2 (4 points)
- Identité remarquable
- Développement - Factorisation
- Calcul numérique
- Résolution d'une « équation-produit »

Exercice 3 (4 points)
- Gestion de données - Tableau à double entrée
- Moyenne pondérée
- Résolution d'équation

EXERCICE 1

On considère les nombres : $A = \dfrac{\dfrac{4}{3} + \dfrac{2}{5}}{2 + \dfrac{1}{6}}$; $B = 4\sqrt{3} - 2$; $C = 2\sqrt{27} + 3$.

1. Calculer A et donner le résultat sous la forme d'une fraction aussi simplifiée que possible. *1 pt*

2. Calculer B + C, puis B^2 (on donnera chaque résultat sous la forme $a + b\sqrt{3}$ où a et b sont des nombres entiers). *3 pts*

EXERCICE 2

Soit $E = (5x - 2)^2 - 9$.

1. Développer E. *1 pt*

2. Factoriser E. *1 pt*

3. Calculer E pour $x = -2$. *0,5 pt*

4. Résoudre l'équation $(5x - 5)(5x + 1) = 0$. *1,5 pt*

EXERCICE 3

Les employés d'une petite entreprise sont classés en quatre catégories A, B, C et D.
Pour chaque catégorie, le salaire mensuel en francs de chaque employé, ainsi que le nombre d'employés, est donné dans un tableau.
Voici le tableau pour les mois de janvier et de février :

	Catégorie A	**Catégorie B**	**Catégorie C**	**Catégorie D**
Salaire mensuel en francs	7 000	9 000	10 000	12 000
Nombre d'employés en janvier	3	4	8	5
Nombre d'employés en février	6	x	y	7

1. Calculer le salaire mensuel moyen des employés de cette entreprise en janvier. *1 pt*

2. On sait qu'en février, il y a quatre fois plus d'employés dans la catégorie C que dans la catégorie B et que le montant total des salaires est de 273 000 F.

a. Exprimer y en fonction de x. *1,5 pt*

b. Calculer x et y. *1,5 pt*

SUJET **12**

GROUPE EST - SÉRIE COLLÈGE

Juin 1999

Exercice 1 (2 points)
- Calculs sur les fractions

Exercice 2 (1,5 point)
- Calculs sur les puissances de dix
- Écriture scientifique

Exercice 3 (2 points)
- Calculs sur les radicaux

Exercice 4 (4 points)
- Développement et factorisation
- Résolution d'une « équation-produit »

Exercice 5 (2,5 points)
- Mise en équations d'un problème et système

EXERCICE 1

Calculer et donner le résultat sous forme d'une fraction simplifiée :

$$A = \frac{5}{4} + \frac{11}{4} \times \frac{20}{33}.$$ *1 pt*

$$B = \frac{5}{2} : \left(\frac{7}{4} + \frac{9}{2}\right).$$ *1 pt*

EXERCICE 2

Calculer et donner le résultat en notation scientifique :

$$C = 15 \times (10^7)^2 \times 3 \times 10^{-5}.$$ *1,5 pt*

EXERCICE 3

Calculer D et E et donner les résultats sous forme $a\sqrt{b}$ où a et b sont des nombres entiers avec b le plus petit possible :

$$D = 2\sqrt{12} - 5\sqrt{27} + 7\sqrt{75}.$$ *1 pt*

$$E = \left(\sqrt{2} + \sqrt{3}\right)^2 - 5.$$ *1 pt*

EXERCICE 4

On considère l'expression :

$$F = (5x - 3)(3x + 2) - (5x - 3)^2.$$

1. Développer et réduire F. *1,5 pt*

2. Factoriser F. *1,5 pt*

3. Résoudre l'équation $(-2x + 5)(5x - 3) = 0$. *1 pt*

EXERCICE 5

Pierre et Nathalie possèdent ensemble 144 timbres de collection.
Si Nathalie donnait 2 timbres à Pierre, alors celui-ci en aurait deux fois plus qu'elle.
Combien chaque enfant a-t-il de timbres actuellement ? *2,5 pts*

SUJET **13**

GROUPE EST - SÉRIE TECHNOLOGIQUE

Juin 1999

Exercice 1 (4 points)
- Calculs sur les fractions

Exercice 2 (4 points)
- Résolution d'équations

Exercice 3 (2 points)
- Volume d'un cylindre

Exercice 4 (2 points)
- Pourcentage

EXERCICE 1

Effectuer les calculs suivants en donnant les détails et exprimer chaque résultat sous forme de fraction irréductible puis sous forme décimale à 0,01 près.

$A = \frac{7}{2} - \frac{3}{4}$		*1 pt*
$B = \frac{4}{7} + 2$		*1 pt*
$C = \frac{11}{4} : \frac{7}{18}$		*1 pt*
$D = \frac{24}{36} \times \frac{9}{27}$		*1 pt*

EXERCICE 2

Calculer x dans les équations suivantes :

$3x - 4 = 2x + 5.$ *2 pts*

$\frac{3x}{4} = 9.$ *2 pts*

EXERCICE 3

Un réservoir de forme cylindrique a une hauteur de 6 m et un rayon de 1,5 m. Calculer en m^3 le volume du réservoir.
Rappel :
volume V du cylindre : $V = \pi R^2 h$, on prendra $\pi = 3{,}14$. **2 pts**

EXERCICE 4

Un baladeur est affiché dans un magasin à 420 francs. Finalement, le vendeur vous le propose à 378 francs car le boîtier est légèrement endommagé.
Quel est le montant de la réduction ? **1 pt**

Quel est le pourcentage de réduction sur le prix affiché ? **1 pt**

SUJET **14**

GROUPE SUD

Juin 1999

Exercice 1 (4,5 points)
- Somme et produit de fractions
- Somme de radicaux
- Écriture scientifique d'un nombre

Exercice 2 (3,5 points)
- Développement et réduction
- Factorisation
- Résolution d'une « équation-produit »

Exercice 3 (4 points)
- Résolution d'un système
- Utilisation de ce système pour résoudre un problème concret

EXERCICE 1

1. On donne $A = \frac{13}{7} - \frac{2}{7} \times \frac{15}{12}$.

Calculer A et donner le résultat sous la forme d'une fraction. *1,5 pt*

2. On donne $B = 7\sqrt{75} - 5\sqrt{27} + 4\sqrt{48}$.

Écrire B sous la forme $b\sqrt{3}$ où b est un nombre entier. *1,5 pt*

3. On donne $C = \frac{0{,}23 \times 10^3 - 1{,}7 \times 10^2}{0{,}5 \times 10^{-1}}$.

Calculer C et donner l'écriture scientifique du résultat. *1,5 pt*

EXERCICE 2

On donne $E = (2x - 1)^2 - (2x - 1)(x - 3)$.

1. Développer et réduire E. *1 pt*

2. Factoriser E. *1,5 pt*

3. Résoudre l'équation $(2x - 1)(x + 2) = 0$. *1 pt*

EXERCICE 3

1. Résoudre par la méthode de votre choix le système :

$$\begin{cases} x - y = 8 \\ 7x + 5y = 104 \end{cases}$$

2 pts

2. Une rose coûte 8 F de plus qu'une marguerite.
Un bouquet de 7 roses et 5 marguerites coûte 104 F.
Quel est le prix d'une rose ? *1 pt*
Quel est le prix d'une marguerite ? *1 pt*

SUJET **15**

INDE

Juin 1999

Exercice 1 (4 points)
- Calculs sur les radicaux
- Calculs sur les puissances de dix
- Calculs sur les fractions

Exercice 2 (5 points)
- Résolution d'une inéquation
- Identité remarquable
- Développement - factorisation
- « Équation-produit »

Exercice 3 (3 points)
- Calcul d'une moyenne
- Mise en équation et résolution d'un système

EXERCICE 1

Calculer et mettre sous la forme la plus simple possible :

$$A = \frac{7}{3} - \frac{2}{5} \times \frac{7}{8}\ ; \quad B = \frac{1 + \frac{3}{4}}{1 - \frac{3}{4}}\ ;$$

$$C = \frac{2 \times 10^2 \times 5 \times 10^{-3}}{4 \times 10^{-4}}\ ; \quad D = \sqrt{75} - \sqrt{12} + \sqrt{27}.$$

4 pts

EXERCICE 2

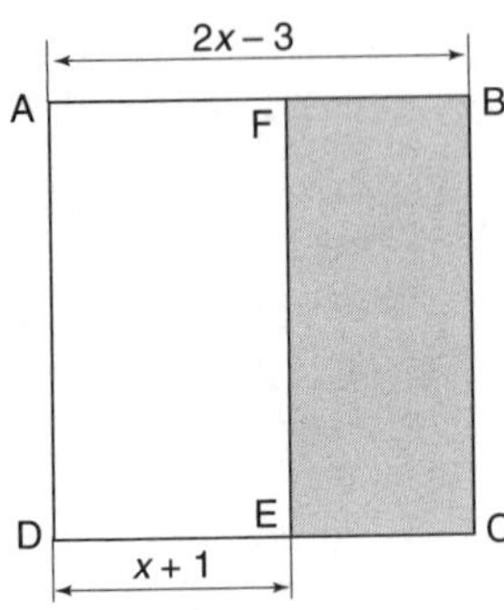

1. Résoudre l'inéquation $2x - 3 \geqslant x + 1$. *0,5 pt*

2. x désignant un nombre supérieur ou égal à 4, ABCD est un carré dont le côté mesure $2x - 3$.

a. Montrer que l'aire du rectangle BCEF s'exprime par la formule :
$A(x) = (2x - 3)^2 - (2x - 3)(x + 1)$. *1 pt*

b. Développer et réduire $A(x)$. *1 pt*

c. Factoriser $A(x)$. *1 pt*

d. Résoudre l'équation $(2x - 3)(x - 4) = 0$. *1 pt*

e. Pour quelle(s) valeur(s) de x l'aire de BCEF est-elle nulle ? *0,5 pt*

EXERCICE 3

Au brevet blanc du collège, qui ne comporte que trois épreuves (français, histoire-géographie et mathématiques notées chacune sur 40) un élève est admis lorsqu'il obtient au moins 60.

1. André a obtenu : 24 en français, 18 en histoire-géographie et 27 en mathématiques.
Est-il reçu ? Quelle est la moyenne de ses notes sur 20 ? *1 pt*

2. Marie a été reçue avec juste 60. Elle a eu 21 sur 40 en français ; sa note de mathématiques est le double de celle de l'histoire-géographie.
Déterminer sa note de mathématiques et sa note d'histoire-géographie. *2 pts*

SUJET **16**

LILLE

Juin 1999

Exercice 1 (3 points)
- Somme et produit de fractions
- Radicaux et identité remarquable
- Somme de radicaux

Exercice 2 (4,5 points)
- Développement, réduction et factorisation
- Résolution d'une « équation-produit »
- Calcul d'une expression pour une valeur particulière

Exercice 3 (2,5 points)
- Résolution d'une inéquation et représentation des solutions

Exercice 4 (2 points)
- Pourcentages

EXERCICE 1

1. Calculer : $A = \frac{7}{9} - \frac{1}{9} \times \frac{3}{2}$. Donner le résultat sous la forme d'une fraction irréductible. *1 pt*

2. Mettre sous la forme $a + b\sqrt{6}$ l'expression $B = (\sqrt{3} - \sqrt{2})^2$. *1 pt*

3. Mettre sous la forme $a\sqrt{b}$ l'expression $C = \sqrt{7} - 7\sqrt{700} + \sqrt{28}$. *1 pt*

EXERCICE 2

$D = (2x - 1)^2 - 4$.

1. Développer et réduire D. *1 pt*

2. Factoriser D. *1 pt*

3. Résoudre l'équation : $(2x - 3)(2x + 1) = 0$. *1,5 pt*

4. Calculer D pour $x = \frac{1}{2}$, puis pour $x = 0$. *1 pt*

EXERCICE 3

1. Résoudre l'inéquation : $5 - 2x < x - 4$. *1,5 pt*

2. Représenter l'ensemble des solutions sur un axe. *1 pt*

EXERCICE 4

1. Calculer le prix d'un magnétoscope affiché 3 520 F et sur lequel on consent une remise de 25 %. *1 pt*

2. Un téléviseur vous a coûté 3 150 F parce qu'on vous a fait une remise de 25 % sur le prix initial.

Quel était le prix initial de ce téléviseur ? *1 pt*

SUJET **17**

LIMOGES

Juin 1999

Exercice 1 (3 points)
- Calculs sur les fractions et les puissances

Exercice 2 (3 points)
- Calculs sur les radicaux
- Proportionnalité

Exercice 3 (4 points)
- Identités remarquables
- Développement et factorisation
- Résolution d'une inéquation et d'une équation

Exercice 4 (2 points)
- Résolution d'un système
- Mise en équations d'un problème

EXERCICE 1

Écrire le plus simplement possible :

$A = \frac{5}{7} - \frac{14}{25} \times \frac{15}{49}$; $B = (-2)^5 - 3^4$; $C = \frac{\frac{3}{4} + \frac{1}{3}}{2 - \frac{7}{3}}$ *3 pts*

EXERCICE 2

1. Écrire sous la forme $a\sqrt{b}$, b entier le plus petit possible, les nombres $\sqrt{18}$ et $\sqrt{12}$. *1 pt*

2. Développer et simplifier $(10 + 4\sqrt{6})(\sqrt{3} - \sqrt{2})$. *1 pt*

3. Le tableau suivant est-il un tableau de proportionnalité ?

$\sqrt{3} + \sqrt{2}$	$10 + 4\sqrt{6}$
$\sqrt{3} - \sqrt{2}$	2

1 pt

EXERCICE 3

1. On considère l'expression $D = (3x - 1)^2 - (x - 1)(9x + 6)$.

a. Développer et réduire D. *1 pt*

b. Résoudre l'inéquation $-3x + 7 < 1$. *1 pt*

2. On considère l'expression $E = (3x - 2)^2 - 9$.

a. Factoriser E. *1 pt*

b. Résoudre l'équation $(3x - 5)(3x + 1) = 0$. *1 pt*

EXERCICE 4

1. Résoudre le système d'équations :

$$\begin{cases} 5x + 3y = 180 \\ x + y = 40. \end{cases}$$ *1 pt*

2. Simon a quarante livres, les uns ont une épaisseur de 5 cm, les autres une épaisseur de 3 cm. S'il les range sur un même rayon, ils occupent 1,80 m. Combien Simon a-t-il de livres de chaque catégorie ? *1 pt*

SUJET **18**

NANTES

Juin 1999

Exercice 1 (2 points)
- Calculs sur les fractions
- Calculs sur les puissances de dix

Exercice 2 (6 points)
- Programme de calcul
- Identités remarquables
- Développement et factorisation
- Résolution d'une « équation-produit »

Exercice 3 (4 points)
- Gestion de données
- Pourcentages

EXERCICE 1

Prouver, par des calculs, que A et B sont deux écritures du même nombre 0,2 lorsqu'on a :

$$A = \frac{11}{7} - \frac{2}{5} \times \frac{24}{7} \quad \text{et} \quad B = \frac{3 \times 10^5 \times 6 \times 10^3}{2 \times 10^7 \times 4,5 \times 10^2}.$$

2 pts

EXERCICE 2

1. Reproduire et compléter le tableau en appliquant le programme de calcul aux nombres indiqués (on ne demande pas d'explications).

Tableau

Nombre choisi au départ	4	0	$\frac{7}{2}$	x
Résultat final				

Programme de calcul

Choisis un nombre.
Calcule son double.
Soustrais 1.
Calcule le carré du résultat obtenu.
Soustrais 36.
Note le résultat final.

2 pts

2. On considère l'expression $R = (2x - 1)^2 - 36$.

a. Développer l'expression R. Quelle est la valeur de R pour $x = 0$? *1,5 pt*

b. Factoriser l'expression R. *1 pt*

3. Résoudre l'équation $(2x + 5)(2x - 7) = 0$. *1 pt*

4. Quels nombres peut-on choisir pour obtenir un résultat final nul lorsqu'on leur applique le programme de calcul de la question 1 ? (Expliquer la réponse donnée.) *0,5 pt*

EXERCICE 3

On étudie l'évolution du nombre de visiteurs dans un parc d'attractions et de loisirs. Pour cela on utilise le tableau et le graphique qui sont donnés en partie ci-dessous.

1. À l'aide du graphique, compléter le tableau et, à l'aide du tableau, compléter le graphique.

Année	1993	1994	1995	1996
Nombre de visiteurs	1 900 000	2 500 000	…	…

1 pt

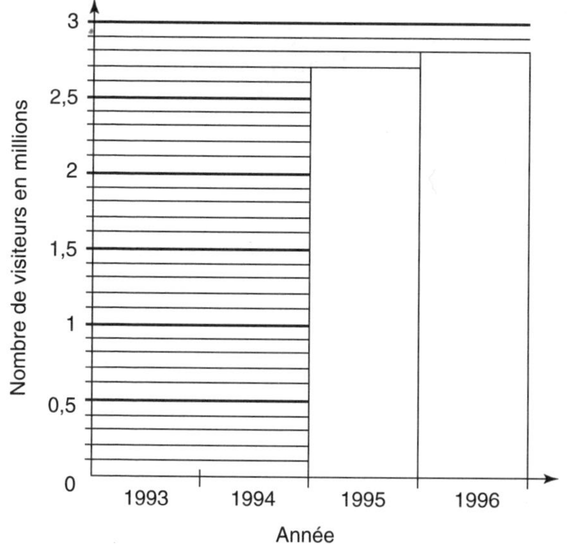

1 pt

2. En 1997, le nombre de visiteurs a augmenté de 3,6 % par rapport au nombre de visiteurs de l'année 1996.
Calculer le nombre de visiteurs en 1997. *1 pt*

3. En 1994, le nombre de visiteurs a augmenté par rapport au nombre de visiteurs en 1993.
Exprimer cette augmentation en pourcentage du nombre de visiteurs en 1993 (on donnera l'arrondi à 1 % près). *1 pt*

SUJET **19**

POITIERS

Juin 1999

Exercice 1 (4 points)
- Somme et produit de fractions
- Radicaux et identité remarquable

Exercice 2 (3 points)
- Mathématisation d'un problème géométrique et résolution d'une équation

Exercice 3 (5 points)
- Pourcentages et rangement de nombres

EXERCICE 1

Soit $A = \frac{12}{15} - \frac{8}{15} : \frac{16}{9}$ et $B = (3\sqrt{2} - 4)(3\sqrt{2} + 4)$.

Calculer les nombres A et B et vérifier qu'ils sont inverses l'un de l'autre.

2 pts | *1,5 pt* | *0,5 pt*

EXERCICE 2

L'unité de longueur est le centimètre.
Sur la figure ci-contre ABCD est un rectangle.
E est le point du segment [AB] tel que AE = 8, F est le point du segment [AD] tel que DF = 6, x est un nombre positif.
On pose EB = x et on donne AF = $2x$.
La parallèle au côté [AD] passant par E coupe le côté [CD] en G.

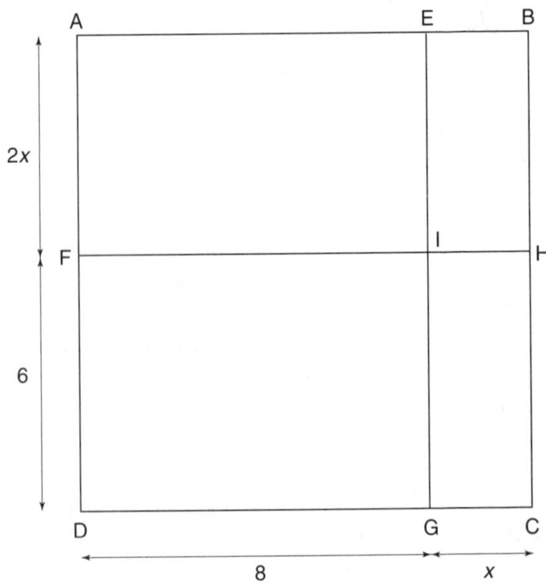

La parallèle au côté [AB] passant par F coupe le côté [BC] en H.
Les droites (EG) et (FH) se coupent en I.

1. Pour quelle valeur de x le rectangle ABCD est-il un carré ? *1,5 pt*

2. Pour quelle valeur de x les rectangles DFIG et IEBH ont-ils la même aire ? *1,5 pt*

EXERCICE 3

À l'entrée d'une ville, un panneau lumineux (tableau ci-dessous) donne la capacité des quatre parcs de stationnement payant de la ville et le nombre de places disponibles pour chacun d'eux.

	Capacité	**Places disponibles**
P_1	500	125
P_2	850	136
P_3	340	102
P_4	310	124

1. Vérifier que le parc P_1 a un taux d'occupation de 75 %. *1 pt*

2. Classer ces quatre parcs de stationnement dans l'ordre décroissant de leur taux d'occupation. *4 pts*

SUJET **20**

RENNES - SÉRIE COLLÈGE

Juin 1999

Exercice 1 (2 points)
- Calculs sur les fractions
- Grandeurs composées

Exercice 2 (3 points)
- Calculs sur les radicaux

Exercice 3 (4 points)
- Identité remarquable
- Développement - factorisation
- Résolution d'une « équation-produit »

Exercice 4 (3 points)
- Grandeurs composées
- Écriture décimale et scientifique

EXERCICE 1

Un jardin rectangulaire a pour longueur $\frac{4}{5}$ hm et pour largeur $\frac{1}{4}$ hm.

a. Calculer son périmètre en hectomètres. *1 pt*

b. Calculer son aire en hectomètres carrés. *1 pt*

On donnera les résultats sous forme fractionnaire puis sous forme décimale.

EXERCICE 2

On donne les deux nombres $p = 2\sqrt{45}$ et $q = \sqrt{80}$.

1. a. Calculez $p + q$. *1 pt*

On donnera le résultat sous la forme $a\sqrt{b}$, où b est un entier le plus petit possible.

b. Calculer pq. *1 pt*

2. Le nombre p est-il solution de l'équation $x^2 - 2x - 180 = 12\sqrt{5}$? *1 pt*

EXERCICE 3

On pose B = $4x^2 - 25 - (2x + 5)(3x - 7)$.

1. Développer et réduire B. *1 pt*

2. a. Factoriser $4x^2 - 25$. *1 pt*

b. En déduire une factorisation de B. *1 pt*

3. Résoudre l'équation $(2x + 5)(2 - x) = 0$. *1 pt*

EXERCICE 4

Le 7 novembre 1998, au retour du second voyage historique de John Glenn dans l'espace, la navette spatiale Discovery avait parcouru 5,8 millions de kilomètres.

Cette mission ayant duré 8 jours et 22 heures, calculer la vitesse moyenne en km/h de la navette. *3 pts*

On donnera le résultat en écriture décimale arrondie au km/h puis en écriture scientifique.

SUJET **21**

RENNES - SÉRIE PROFESSIONNELLE

Juin 1999

Exercice 1 (6,5 points)
- Addition, produit et quotient de nombres entiers, décimaux et rationnels
- Simplification d'un radical

Exercice 2 (3 points)
- Calculs d'expressions pour des valeurs particulières

Exercice 3 (2,5 points)
- Résolution d'équations du premier degré

EXERCICE 1

Calculer la valeur exacte des expressions suivantes et l'écrire sous la forme la plus simple :

$A = 3 + 4 \times 5 + 2 \times (15 + 3)$. *1 pt*

$B = \dfrac{1,25 + 7,50}{0,5 \times 5}$. *1 pt*

$C = \dfrac{2\,000 + 3 \times 10^4}{4 \times 10^2}$. *1,5 pt*

$D = \dfrac{3}{5} + \dfrac{8}{3}$. *1 pt*

$E = \sqrt{14 \times 350}$. *1 pt*

$F = \dfrac{45}{22} \times \dfrac{66}{15}$. *1 pt*

EXERCICE 2

Calculer pour $x = 2$ les expressions suivantes :

$G = 3(2x - 3)$. *1 pt*

$H = 2(3x - 4) - 3$. *1 pt*

$J = (x + 1)^2$. *1 pt*

EXERCICE 3

Résoudre les équations suivantes :

$4x = 3$. *1 pt*

$3x + 4 = 2x + 5$. *1,5 pt*

Session 1999

Activités géométriques

SUJET **22**

AMÉRIQUE DU NORD

Juin 1999

Exercice 1 (9 points)
- Théorème de Pythagore et de Thalès
- Trigonométrie dans un triangle rectangle

Exercice 2 (3 points)
- Transformées de figures
- Construction de l'image d'une figure par une rotation

EXERCICE 1

On considère le triangle ABC tel que : AC = 4,8 cm ; AB = 6,4 cm ; BC = 8 cm.

1. Construire le triangle ABC. *1 pt*

2. Démontrer que le triangle ABC est rectangle en A. *1,5 pt*

3. Tracer la droite (*d*) perpendiculaire en C à la droite (BC) ; cette droite (*d*) coupe la droite (AB) en un point E. *0,5 pt*

4. a. Exprimer de deux façons différentes tan $\widehat{B}$: dans le triangle ABC, puis dans le triangle BCE. *2 pts*

b. En déduire que EC = 6 cm. *1 pt*

5. Sur le segment [CE] on marque le point M tel que CM = 4,2 cm. La parallèle à (BE) passant par M coupe [BC] en N.
Calculer les longueurs CN et MN. *2 pts*

6. Déterminer, arrondie au degré près, une mesure de l'angle $\widehat{ACE}$. *1 pt*

EXERCICE 2

À partir du document ci-dessous :

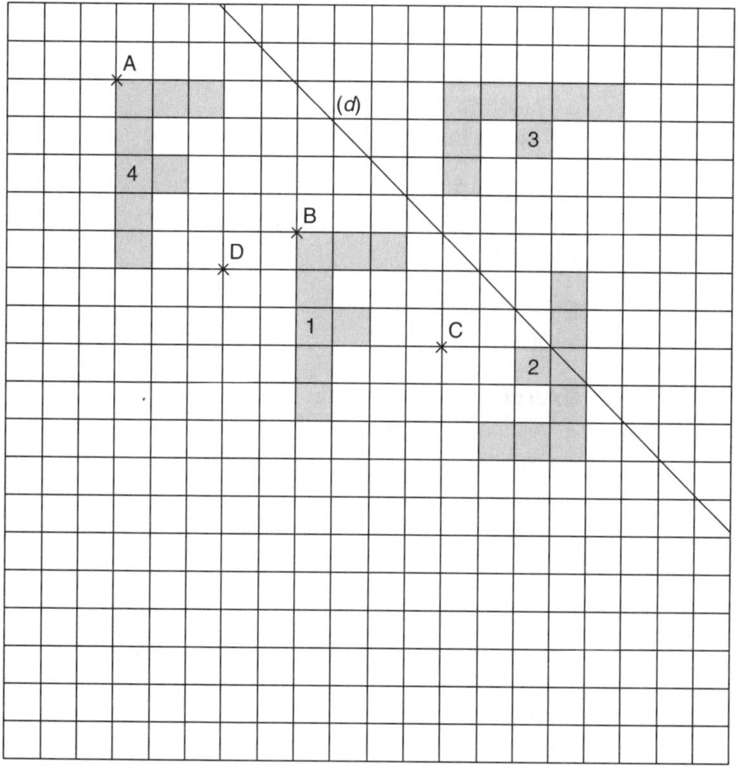

1. En utilisant des transformations, dont on précisera les éléments caractéristiques (centres de symétrie, axes de symétrie, vecteurs, etc.), recopier et compléter les phrases suivantes :

a. La figure 2 est l'image de la figure 1 par .... *0,5 pt*

b. La figure 3 est l'image de la figure 1 par .... *0,5 pt*

c. La figure 4 est l'image de la figure 1 par .... *0,5 pt*

2. Construire sur ce document la figure 5, image de la figure 1 par la rotation de centre D, d'angle 90° dans le sens des aiguilles d'une montre. *1,5 pt*

SUJET **23**

AMIENS

Juin 1999

Exercice 1 (3 points)
- Tracés de droites
- Position relative de deux droites

Exercice 2 (2,5 points)
- Réciproque du théorème de Thalès
- Échelle

Exercice 3 (3 points)
- QCM

Exercice 4 (3,5 points)
- Volume d'un cylindre et d'un cône
- Capacité

EXERCICE 1

1. Dans un repère orthonormal (0, I, J), tracer les droites suivantes :
La droite $\mathcal{D}_1$ d'équation $y = 3x$.
La droite $\mathcal{D}_2$ d'équation $y = 3x - 2$.
Vous expliquerez brièvement votre démarche pour chaque droite. *2 pts*

2. Que pouvez-vous dire des droites $\mathcal{D}_1$ et $\mathcal{D}_2$? *1 pt*
Justifiez votre réponse.

EXERCICE 2

L'aire du triangle ADE est 54 cm^2.
B est le point de [AD] tel que $AB = \frac{1}{3} AD$,
C est le point de [AE] tel que $AC = \frac{1}{3} AE$.

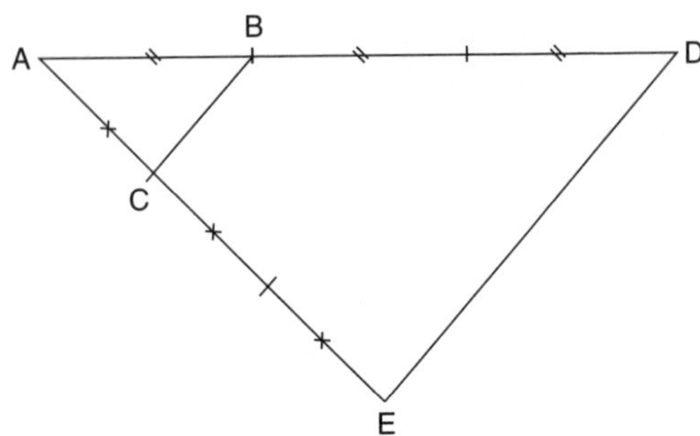

1. Démontrer que les droites (BC) et (DE) sont parallèles. *1 pt*

2. Le triangle ABC est une réduction du triangle ADE.
Quelle est l'échelle de la réduction ? *0,5 pt*

3. Calculer l'aire du triangle ABC. *1 pt*

EXERCICE 3

Pour chaque ligne du tableau suivant, trois réponses sont proposées, désignées par les nombres ①, ②, ③. Une seule est exacte.
Écrire dans la colonne de droite le numéro correspondant à la bonne réponse.
Toutes les questions sont indépendantes.

	Réponse ①	**Réponse ②**	**Réponse ③**	**Réponse choisie**
Si : **A.** A(5 ; – 1) et B(2 ; 3), alors $\overrightarrow{AB}$ a pour coordonnées :	(3 ; –4)	(7 ; 2)	(–3 ; 4)	
B. A(5 ; – 1) et B(2 ; 3) dans un repère orthonormal, alors AB est égal à :	5	1	7	
C. Si D est l'image de E par la translation de vecteur $\overrightarrow{MN}$, alors :	$\overrightarrow{MN} = \overrightarrow{DE}$	$\overrightarrow{ED} = \overrightarrow{MN}$	$\overrightarrow{ED} = \overrightarrow{NM}$	
D. Si RSTU est un parallélogramme, alors $\overrightarrow{RS} + \overrightarrow{RU}$ est égal à :	$\overrightarrow{TR}$	$\overrightarrow{SU}$	$\overrightarrow{RT}$	
E. Si Δ et Δ' sont deux droites parallèles, alors le quotient $\frac{CD}{AB}$ est égal à :	$\frac{CA}{AI}$	$\frac{IB}{ID}$	$\frac{IC}{IA}$	

3 pts

EXERCICE 4

Un réservoir d'eau est formé d'une partie cylindrique et d'une partie conique.

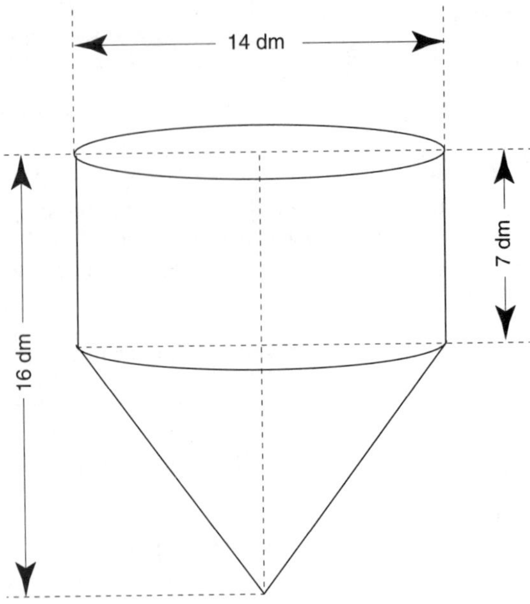

1. Donner, en dm^3, le volume exact de la partie cylindrique en utilisant le nombre π. *1 pt*

2. Donner, en dm^3, le volume exact de la partie conique en utilisant le nombre π. *1 pt*

3. Donner le volume exact du réservoir, puis sa valeur arrondie à 1 dm^3 près. *0,5 pt*

4. Ce réservoir peut-il contenir 1 000 litres ? Justifier la réponse. *1 pt*

Formulaire :

Volume d'un cylindre : $\pi R^2 h$

Volume d'un cône : $\frac{1}{3}$ aire de la base $\times$ hauteur.

SUJET **24**

ASIE

Juin 1999

Exercice 1 (4 points)
- Addition vectorielle
- Images d'un trapèze par une translation, par une rotation

Exercice 2 (4 points)
- Trigonométrie dans un triangle rectangle
- Volumes de pyramides et agrandissement

Exercice 3 (4 points)
- Triangle inscriptible dans un demi-cercle
- Théorème de Thalès

EXERCICE 1

On utilisera et on complétera la figure ci-dessous, sur laquelle les triangles sont équilatéraux et superposables.

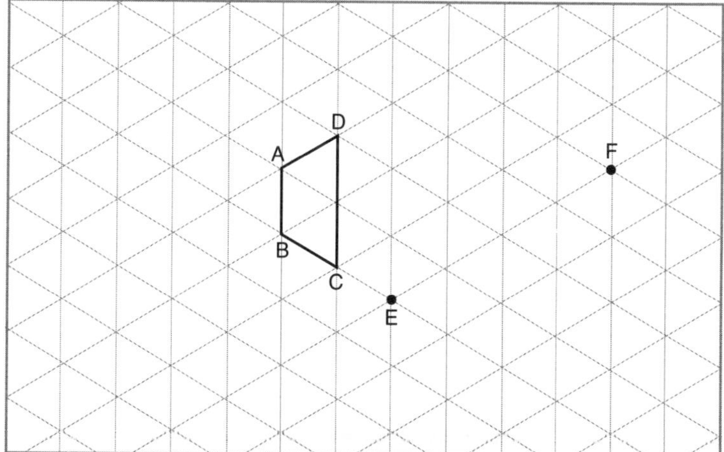

1. Placer le point G tel que $\overrightarrow{FG} = \overrightarrow{DC} + \overrightarrow{DA}$. *1 pt*

2. Tracer l'image du trapèze ABCD par la translation de vecteur $\overrightarrow{CA}$. *1 pt*

3. Tracer l'image du trapèze ABCD par la rotation de centre E, d'angle 120° et dans le sens des aiguilles d'une montre. *2 pts*

EXERCICE 2

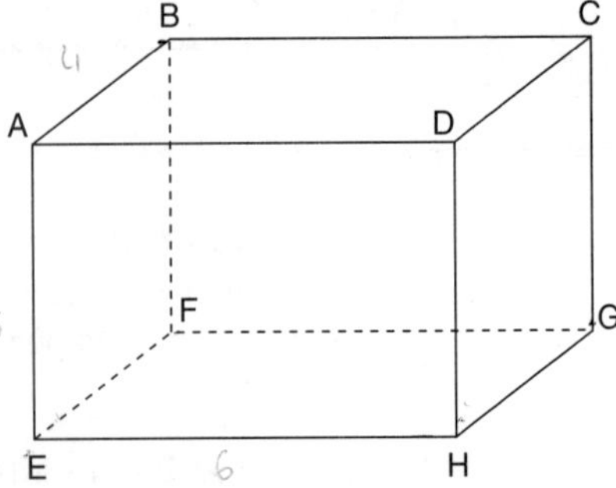

Dans le pavé droit ABCDEFGH, on considère la pyramide BEFG.
On donne AB = 4 cm, AE = 5 cm et EH = 6 cm.

1. Déterminer la mesure de l'angle $\widehat{BEF}$ à un degré près. *1 pt*

2. Calculer le volume de la pyramide BEFG. *2 pts*

3. On réalise une pyramide P qui est un agrandissement de BEFG à l'échelle 3. Déduire de la question **2.** le volume de P. *1 pt*

EXERCICE 3

Soit un cercle $\mathscr{C}$ de diamètre AD = 8 cm, B un point de $\mathscr{C}$ tel que AB = 6 cm et E le point de [AD] tel que ED = 3 cm. La parallèle à (BE) passant par D coupe (AB) en F.

1. Faire une figure. *1 pt*

2. Quelle est la nature du triangle ABD ? *1 pt*

3. Calculer la valeur exacte de AF. *2 pts*

SUJET **25**

ASIE DU SUD-EST

Juin 1999

Exercice 1 (4 points)
- Théorème de Pythagore
- Réciproque du théorème de Thalès
- Trigonométrie

Exercice 2 (4 points)
- Volume d'une pyramide
- Construction de triangles

Exercice 3 (4 points)
- Géométrie dans un repère
- Translation

EXERCICE 1

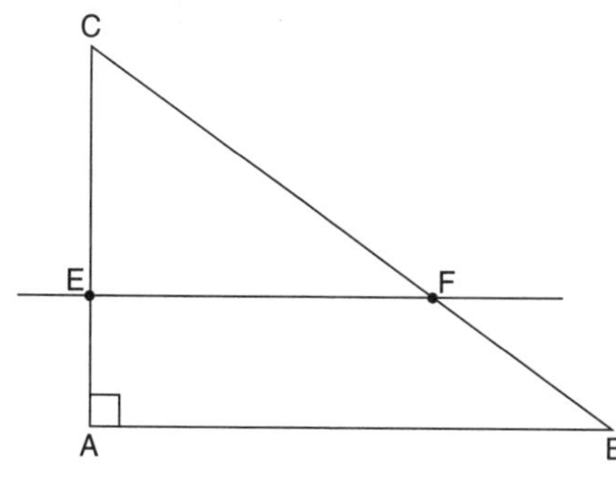

ABC est un triangle rectangle en A, on a :
AB = 4,8 ; AC = 3,6 ; CE = 2,4 ; CF = 4.

a. Calculer BC. *1 pt*

b. Démontrer que les droites (EF) et (AB) sont parallèles. *1,5 pt*

c. Calculer la mesure de l'angle $\widehat{ABC}$ en donner l'arrondi au degré près. *1,5 pt*

EXERCICE 2

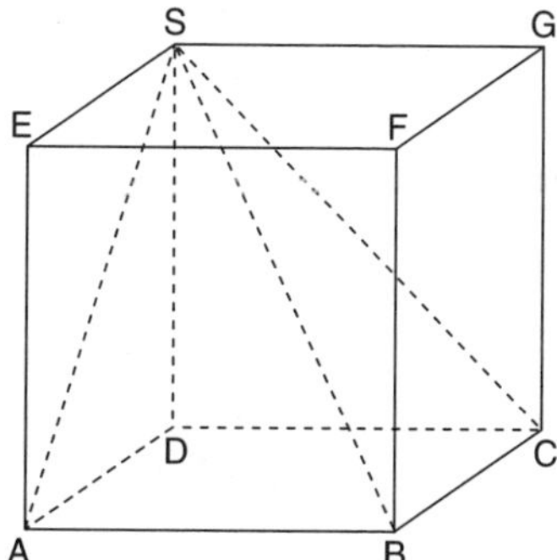

ABCDEFGS est un cube d'arête 3 cm.

a. Calculer, en cm^3, le volume de la pyramide SABCD. *2 pts*

b. Dessiner en vraie grandeur les faces SAD puis SAB (sachant que le triangle SAB est rectangle en A). *2 pts*

EXERCICE 3

a. Tracer un repère orthogonal (O, I, J) du plan et placer les points :
A(2 ; 3), B(−4 ; 6), E(6 ; 5). *1 pt*

b. Construire le point F, image du point E par la translation de vecteur $\overrightarrow{AB}$. *1,5 pt*

c. Calculer les coordonnées du point F. *1,5 pt*

SUJET **26**

BORDEAUX

Juin 1999

Exercice 1 (7 points)
- Points dans un repère
- Triangle rectangle et cercle
- Équations de droites
- Coordonnées de l'intersection de deux droites

Exercice 2 (5 points)
- Volumes dun pavé droit et d'une pyramide
- Théorème de Pythagore
- Trigonométrie dans un triangle rectangle

EXERCICE 1

Le plan est rapporté au repère orthonormal (O, I, J) ; *l'unité graphique est le centimètre.*

1. a. Placer les points P(4 ; 0) ; Q(0 ; 8) et M(2 ; 4). *0,5 pt*

b. Vérifier que M est le milieu du segment [PQ]. *1 pt*

2. $\mathcal{C}$ désigne le cercle circonscrit au triangle OPQ.
Quel est le centre du cercle $\mathcal{C}$? Tracer le cercle $\mathcal{C}$. Calculer son rayon.
0,5 pt | *0,5 pt* | *1 pt*

3. Soit (Δ) la droite passant par Q et perpendiculaire à la droite (OM).
K désigne le point d'intersection des droites (OM) et (Δ).

a. Déterminer l'équation de la droite (OM). *1 pt*

b. Déterminer l'équation de la droite (Δ) sachant que son coefficient directeur est égal à $-\frac{1}{2}$. *1 pt*

c. Calculer les coordonnées du point K. *1,5 pt*

EXERCICE 2

Le solide représenté ci-après est constitué de deux parties :
– la partie supérieure est une pyramide régulière SABCD, de sommet S, de base carrée ABCD et de hauteur [SO] ;
– la partie inférieure est un pavé droit ABCDEFGH ;
– dimensions en centimètres : AB = 30 ; AE = 10 ; SO = 30.

1. Calculer le volume de la partie inférieure du solide. *1 pt*

2. Calculer le volume total du solide. *1,5 pt*

3. a. Calculer la valeur exacte de AO. *1,5 pt*

b. En déduire la mesure, arrondie au degré, de l'angle $\widehat{SAO}$. *1 pt*

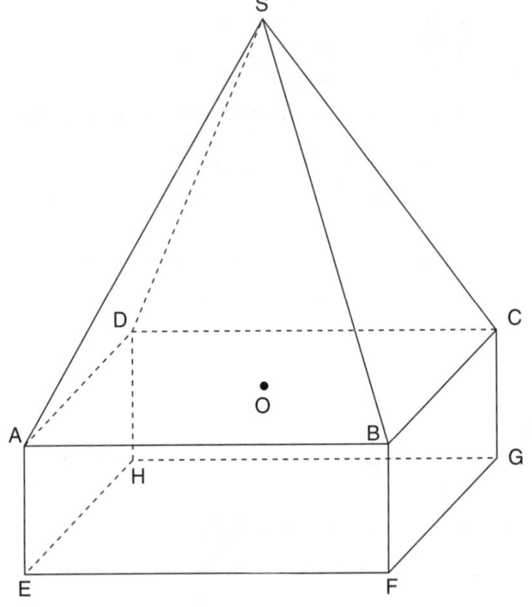

SUJET **27**

CENTRES ÉTRANGERS I

Juin 1999

Exercice 1 (6 points)
- Calculs de distances dans un repère
- Réciproque du théorème de Pythagore
- Équation de droite
- Milieu d'un segment et appartenance d'un point à une droite

Exercice 2 (6 points)
- Construction de figures en vraie grandeur
- Théorème de Pythagore
- Trigonométrie dans un triangle rectangle
- Volume d'une pyramide

EXERCICE 1

Le plan est rapporté au repère orthonormal (O, I, J) ; *l'unité graphique est le centimètre.*

1. Placer les points A(−2 ; 1) ; B(−1 ; −2) ; C(4 ; 3) et D(2 ;4). *0,5 pt*

2. a. Calculer AB^2, AC^2 et BC^2. *1,5 pt*

b. Quelle est la nature du triangle ABC ? *1 pt*

3. a. Déterminer l'équation de la droite (BD). *1 pt*

b. Calculer le coefficient directeur de la droite (DC). *0,5 pt*

4. Soit M le milieu du segment [AC].

a. Calculer les coordonnées du point M. *1 pt*

b. Démontrer que le point M appartient à la droite (BD). *0,5 pt*

EXERCICE 2

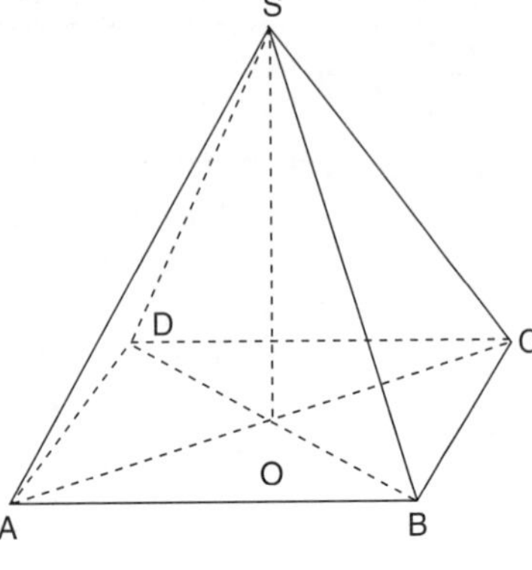

L'unité de longueur est le centimètre.

Le schéma ci-contre représente une pyramide régulière de sommet S qui a pour base le carré ABCD.

AC = 10 et SA = 10.

1. Construire en vraie grandeur le carré ABCD et le triangle SAB. *2 pts*

2. a. Montrer que $AB = 5\sqrt{2}$. *1 pt*

b. On se place dans le triangle SAB, et on désigne par I le milieu du segment [AB].

Calculer le cosinus de l'angle $\widehat{SAB}$. *0,5 pt*

En déduire la mesure, arrondie au degré, de l'angle $\widehat{SAB}$. 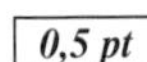

3. Calculer la hauteur SO de la pyramide. *1 pt*

4. Calculer le volume de la pyramide.

On donnera sa valeur exacte, puis une valeur approchée au cm^3 près. 

SUJET **28**

CENTRES ÉTRANGERS II

Juin 1999

Exercice 1 (7 points)
- Repérage
- Lectures graphiques
- Symétrie axiale
- Translation
- Coordonnées du milieu d'un segment
- Équation de droites

Exercice 2 (5 points)
- Construction d'un triangle
- Trigonométrie
- Propriétés du triangle rectangle

EXERCICE 1

Pour cet exercice, on se reportera à la figure ci-après. Les tracés demandés seront réalisés directement sur ce graphique.
Dans un repère orthogonal (O, I, J), on a tracé la droite *d*.
On considère les points A(5 ; 0) et B(0 ; 3).

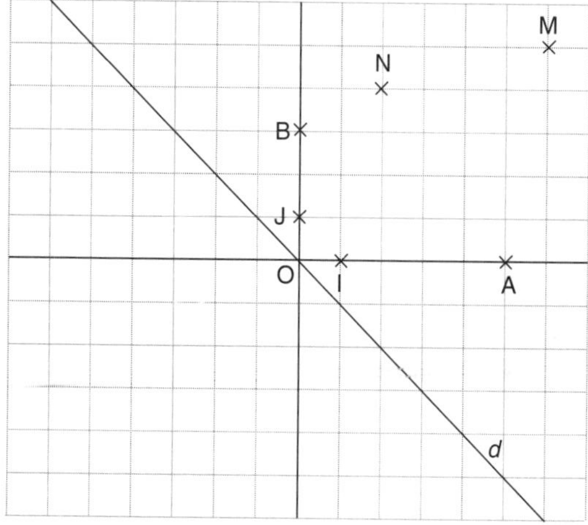

1. Parmi les équations suivantes, quelle est celle de la droite d :
$y = x$; $y = -x + 3$; $y = -x$; $y = x - 1$; $y = -2x$. *1 pt*

2. Soit A' et B' les symétries de A et B par rapport à la droite d.
Placer les points A' et B' et lire leurs coordonnées. *1 pt*

3. Tracer la droite d'image de la droite d par la translation de vecteur $\overrightarrow{MN}$. *1 pt*

4. a. Calculer les coordonnées de L milieu de [AB]. *1 pt*

b. Calculer l'équation de la droite (OL) et l'équation de la droite (A'B'). *3 pts*

EXERCICE 2

1. Construire un triangle ABC rectangle en A tel que $\widehat{ABC} = 30°$ et AB = 6 cm. *1 pt*

2. Calculer une valeur approchée de AC (arrondir au mm près). *1,5 pt*

3. Le cercle de diamètre [AB] coupe le segment [BC] en H.
Montrer que H est le pied de la hauteur issue de A. *1,5 pt*

4. Expliquer pourquoi H est aussi sur le cercle de diamètre [AC]. *1 pt*

SUJET 29 — CENTRES ÉTRANGERS III

Juin 1999

Exercice 1 (6 points)
- Triangle particulier
- Réciproque du théorème de Thalès et théorème de Thalès
- Échelle et aires associées

Exercice 2 (3 points)
- Patron d'une pyramide
- Construction d'un triangle en vraie grandeur

Exercice 3 (3 points)
- Lecture sur un graphique d'équations de droites

EXERCICE 1

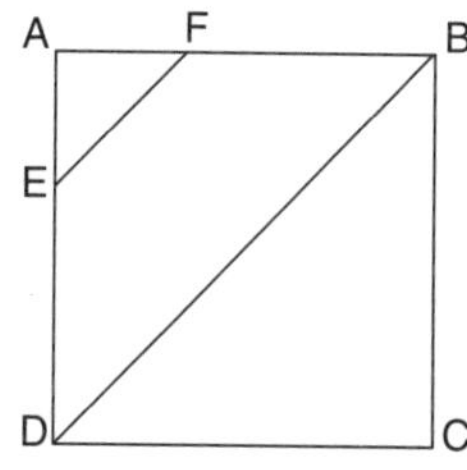

ABCD est un carré.

E est le point de [AD] tel que $AE = \frac{1}{3} AD$.

F est le point de [AB] tel que $AF = \frac{1}{3} AB$.

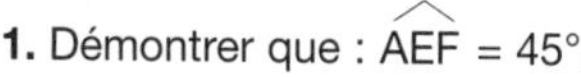

1. Démontrer que : $\widehat{AEF} = 45°$. *2 pts*

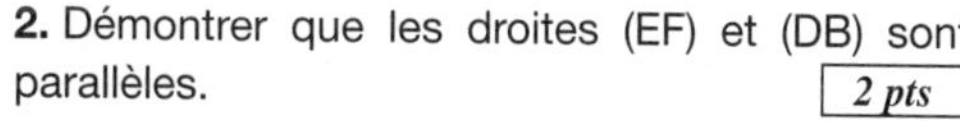

2. Démontrer que les droites (EF) et (DB) sont parallèles. *2 pts*

3. a. Par quel nombre doit-on multiplier la longueur BD pour obtenir la longueur EF ? Justifier la réponse donnée. *1 pt*

b. Par quel nombre doit-on multiplier l'aire du triangle ABD pour obtenir l'aire du triangle AEF ? Justifier la réponse donnée. *1 pt*

EXERCICE 2

La pyramide SABCD représentée sur la figure ci-contre :
– a pour base ABCD, carré de 3 centimètres de côté ;
– a pour hauteur [AS] et AS = 4 cm.
On admettra que :
– les faces SAB et SAD sont des triangles rectangles en A ;
– la face SDC est un triangle rectangle en D.

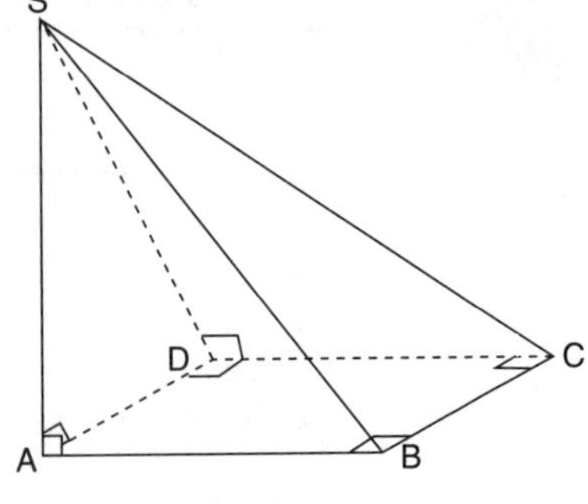

1. Sans faire de calculs, tracer avec précision un patron de la pyramide SABCD. *2 pts*

2. En utilisant le patron et en reportant à l'aide du compas les longueurs nécessaires, tracer en vraie grandeur le triangle SBD. *1 pt*

EXERCICE 3

Sur le graphique ci-après on a placé :
(O, I, J) repère orthonormal ;

A(3 ; 4) ; B(2 ; 2) ; C(1 ; – 2) ; E(2 ; 0) ;

(D_1) est parallèle à (OJ) et passe par A, (D_2) passe par les points O et B, (D_3) est parallèle à (OI) et passe par C, (D_4) passe par les points E et J.

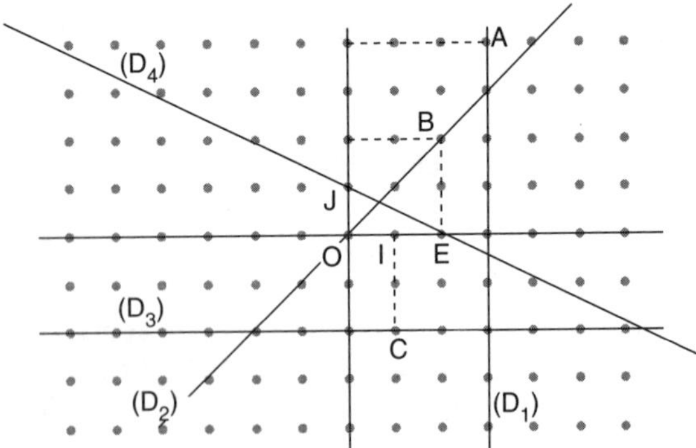

Lire sur le graphique et donner sans explications une équation de chacune des quatre droites (D_1), (D_2), (D_3), (D_4). *0,5 pt* *0,5 pt* *0,5 pt* *1,5 pt*

SUJET **30**

CLERMONT-FERRAND

Juin 1999

Exercice 1 (4 points)
- Symétries centrale et axiale
- Translation
- Rotation

Exercice 2 (4 points)
- Trigonométrie

Exercice 3 (4 points)
- Volume d'une sphère
- Échelle

EXERCICE 1

Sur la figure ci-après, en utilisant le quadrillage, construire :
– la figure ② image du triangle ① par la symétrie de centre O ; *1 pt*
– la figure ③ image du triangle ① par la symétrie d'axe *d* ; *1 pt*
– la figure ④ image du triangle ① par la translation de vecteur $\overrightarrow{OA}$; *1 pt*
– la figure ⑤ image du triangle ① par la rotation de centre A et d'angle 90° dans le sens de la flèche. *1 pt*

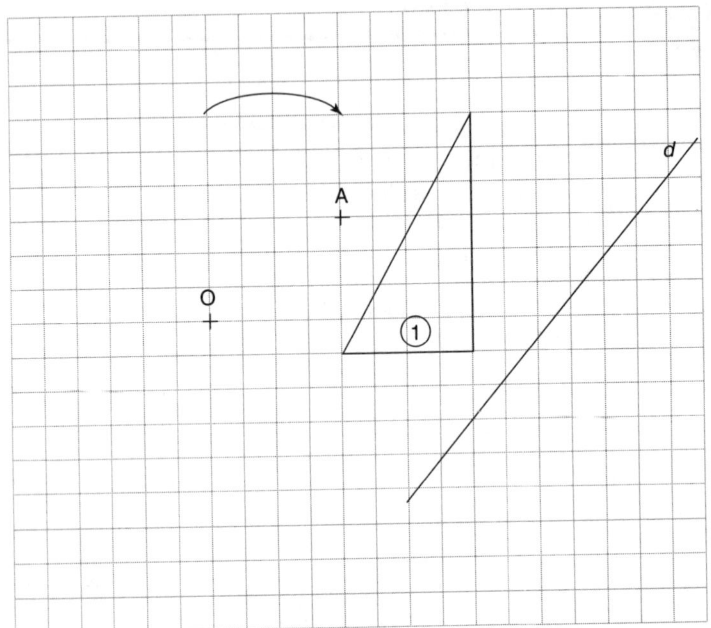

EXERCICE 2

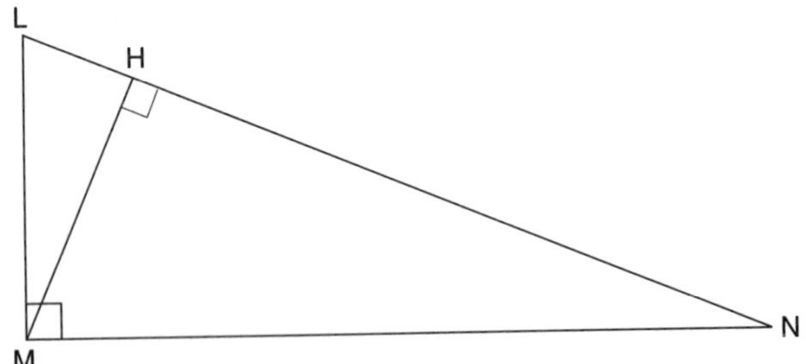

Il est inutile de refaire cette figure.

Le triangle LMN est rectangle en M et [MH] est sa hauteur issue de M.

On donne ML = 2,4 cm et LN = 6,4 cm.

1. Calculer la valeur exacte du cosinus de l'angle $\widehat{MLN}$.
On donnera le résultat sous forme d'une fraction simplifiée. *2 pts*

2. Sans calculer la valeur de l'angle $\widehat{MLN}$, calculer LH.
Le résultat sera écrit sous forme d'un nombre décimal. *2 pts*

EXERCICE 3

1. On admet qu'un ballon de basket est assimilable à une sphère de rayon $R_1 = 12{,}1$ cm.
Calculer le volume V_1, en cm^3, de ce ballon ; donner le résultat arrondi au cm^3.

1 pt

2. On admet qu'une balle de tennis est assimilable à une sphère de rayon R_2, en cm. La balle de tennis est ainsi une réduction du ballon de basket. Le coefficient de réduction est $\frac{4}{15}$.

a. Calculer R_2 ; donner le résultat arrondi au mm. *1,5 pt*

b. Sans utiliser cette valeur de R_2, calculer le volume V_2 en cm^3 d'une balle de tennis ; donner le résultat arrondi à l'unité. *1,5 pt*

Rappel : Volume d'une sphère de rayon R : $V = \frac{4}{3}\pi R^3$.

SUJET **31**

CRÉTEIL - PARIS - VERSAILLES

Juin 1999

Exercice 1 (8 points)
- Volume d'un cône de révolution
- Théorèmes de Pythagore et de Thalès
- Trigonométrie dans un triangle rectangle

Exercice 2 (4 points)
- Images d'une figure par une rotation et par une translation

EXERCICE 1

L'unité de longueur est le mètre.

Pour abriter un spectacle, on a construit un chapiteau dont la forme est un cône représenté par le schéma ci-contre.
Sur le sol horizontal, la toile du chapiteau dessine un cercle de rayon AH = 10.
Le mât, vertical, a pour longueur SH = 15.

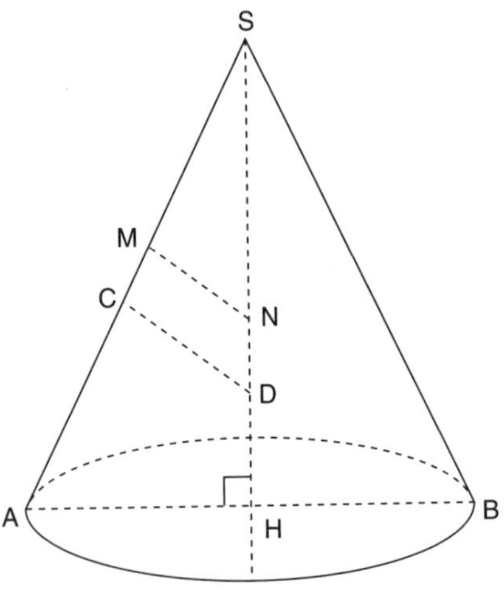

1. Calculer le volume du chapiteau (on donnera la valeur exacte puis la valeur arrondie au m^3). *1,5 pt*

2. Calculer la longueur SA (on donnera la valeur exacte, puis la valeur arrondie au cm). *1,5 pt*

3. Déterminer la mesure en degré de l'angle $\widehat{ASH}$ arrondie à l'unité. *1 pt*

4. Pour accrocher des affiches, on a tendu deux câbles, l'un du point M au point N, l'autre du point C au point D.
Comme l'indique le schéma, M et C sont des points du segment [SA], N et D sont des points du segment [SH].
On donne SM = 8, SN = 7, SC = 12, SD = 10,5.
Les câbles sont-ils parallèles ? Justifier. *2,5 pts*

5. Le plus petit des deux câbles mesure 3 m. Calculer la longueur de l'autre câble. *1,5 pt*

EXERCICE 2

(O, I, J) est un repère orthonormal du plan, *l'unité est le centimètre*.

1. Placer les points A(3 ; 0), B(– 1 ; 4), C(– 3 ; 4), D(– 1 ; 3) et E(– 1 ; 2).

2. *Dans cette question, on ne demande aucun trait de construction ni aucune justification*.

On appelle $\mathcal{F}$ la figure représentée par le polygone ABCDE.

Tracer sur le même graphique :

a. l'image $\mathcal{F}_1$ de $\mathcal{F}$ par la rotation de centre E, d'angle 90°, dans le sens inverse des aiguilles d'une montre ; *2 pts*

b. l'image $\mathcal{F}_2$ de $\mathcal{F}$ par la translation de vecteur $\overrightarrow{CJ}$. *2 pts*

On placera les lettres $\mathcal{F}_1$ et $\mathcal{F}_2$ sur le graphique.

SUJET **32**

GRENOBLE

Juin 1999

Exercice 1 (6 points)
- Construction d'un triangle
- Réciproque du théorème de Pythagore
- Théorème de Thalès
- Trigonométrie

Exercice 2 (6 points)
- Triangle équilatéral
- Théorème de Pythagore
- Volume d'une pyramide
- Patron d'une pyramide

EXERCICE 1

L'unité est le centimètre.

1. Construire un triangle RST tel que RS = 4,5 ; ST = 6 ; RT = 7,5 ; on laissera les traits de construction. *1 pt*

2. Montrer que le triangle RST est rectangle. *1 pt*

3. a. Tracer le cercle $\mathcal{C}$ de centre R et de rayon 4,5. Le cercle $\mathcal{C}$ coupe le segment [RT] en K. *0,5 pt*

b. Tracer la droite *d* passant par le point K et parallèle à la droite (RS).
Cette droite *d* coupe le segment [TS] en un point L.
Placer ce point sur la figure. *0,5 pt*

c. Calculer KL. *1,5 pt*

4. Calculer l'angle $\widehat{STR}$ (on donnera l'arrondi au degré). *1,5 pt*

EXERCICE 2

On considère la figure ci-contre où ABCDEFGH est un cube de côté 3 cm.

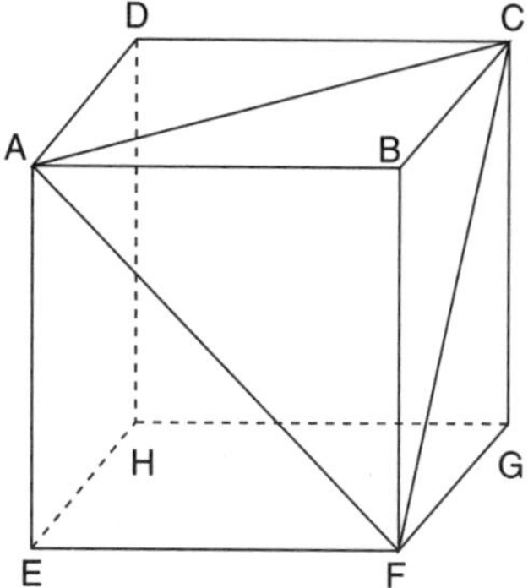

1. Montrer que le triangle ACF est équilatéral. *2 pts*

2. On considère alors la pyramide CABF, de base le triangle ABF et de hauteur CB.

a. Calculer le volume de cette pyramide. *2 pts*

b. Dessiner un patron de cette pyramide ; on laissera les traits de construction. *2 pts*

SUJET **33**

GROUPE EST - SÉRIE COLLÈGE

Juin 1999

Exercice 1 (4,75 points)
- Théorème de Pythagore
- Volume d'une pyramide et d'un parallélépipède rectangle
- Échelle

Exercice 2 (7,25 points)
- Repérage
- Coordonnées du milieu d'un segment
- Équation de droite
- Calcul de distances
- Calcul d'aire

EXERCICE 1

Un pigeonnier est composé d'un parallélépipède rectangle ABCDEFGH et d'une pyramide SEFGH dont la hauteur [SO] mesure 3,1 m.
On sait que AB = 3 m, BC = 3,5 m et AE = 4 m.

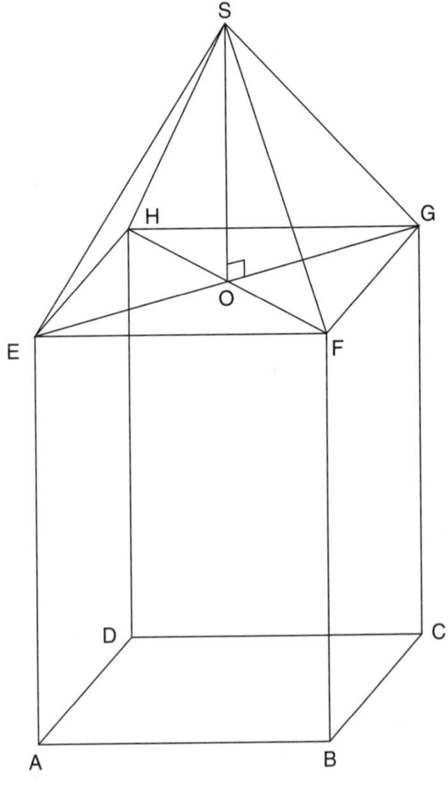

1. Calculer la longueur BD et en déduire celle de BH. On donnera des valeurs approchées de ces résultats à 10^{-1} près. *1,5 pt*

2. Calculer en m^3 le volume V_1 de ce pigeonnier. *1,75 pt*

3. Un modéliste désire construire une maquette de ce pigeonnier à l'échelle $\frac{1}{24}$.

Calculer en dm^3 le volume V_2 de la maquette. *1 pt*

On donnera une valeur approchée de ce résultat à 10^{-3} près. *0,5 pt*

EXERCICE 2

Le plan est rapporté à un repère orthonormal (O, I, J), *(unité 1 cm)*.

1. Placer les points A(– 4 ; – 1), B(4 ; 4) et C(2 ; – 1). *0,5 pt*

On complètera la figure au fur et à mesure de l'exercice. *0,5 pt*

2. Calculer les coordonnées du milieu K du segment [AC]. *0,75 pt*

Déterminer l'équation de la droite (KB). *1 pt*

Justifier que la droite (KB) passe par l'origine O du repère. *0,25 pt*

3. On considère le point H(4 ; – 1). On admet que [BH] est la hauteur issue de B du triangle ABC.

Calculer les distances AC et BH puis en déduire l'aire du triangle ABC. *2 pts*

4. Calculer la distance AB. En déduire la longueur *d* de la hauteur issue de C dans le triangle ABC. *0,75 pt* *1 pt*

On donnera une valeur approchée de *d* à 10^{-1} près. *0,5 pt*

SUJET **34**

GROUPE EST - SÉRIE TECHNOLOGIQUE

Juin 1999

Le candidat doit traiter, au choix, la dominante industrielle ou la dominante économique.

A – Dominante industrielle

Exercice (12 points)
- Théorème de Pythagore
- Calcul d'aire
- Symétrie centrale
- Quadrilatère particulier
- Trigonométrie

EXERCICE

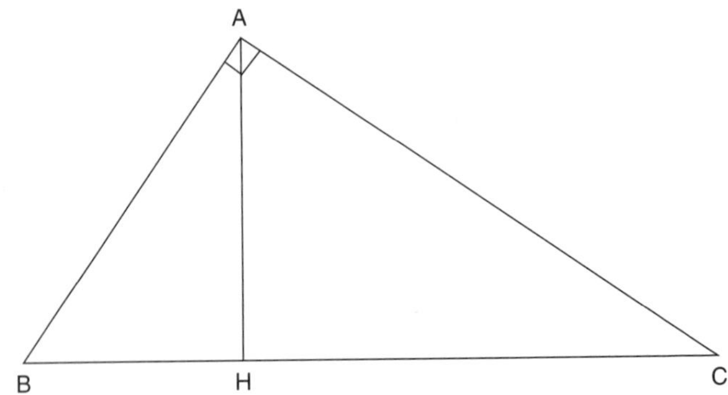

On donne AB = 6 cm, BH = 3 cm.
[AH] est la hauteur relative à l'hypoténuse [BC].

1. Calculer AH en utilisant le théorème de Pythagore (on donnera le résultat à 0,1 près). *2 pts*

2. Sachant que HC est le triple de BH, calculer BC. *2 pts*

3. Calculer l'aire du triangle ABC. *2 pts*

4. Reproduire ci-dessous le dessin à l'échelle 1 ; on se donne O milieu de [BC]. Construire le point A', symétrique de A par rapport à O. *4 pts*

5. Quelle est la nature du quadrilatère ABA'C. *1 pt*

6. Calculer en degrés la valeur de $\widehat{ABH}$. *1 pt*

B – Dominante économique

Exercice 1 (3 points)
- Pourcentage

Exercice 2 (9 points)
- Gestion de données
- Fréquence
- Histogramme

EXERCICE 1

Le prix hors taxe d'un article est 2 480 F (TVA : 20,6 %).

a. Calculer le montant de la TVA. *2 pts*

b. Calculer le prix TTC (toutes taxes comprises). *1 pt*

EXERCICE 2

Les résultats d'une étude concernant la taille (exprimée en cm) des 25 élèves d'une section de 3e figurent dans le tableau suivant :

Tailles en cm	Effectif	Fréquence en %
[140 - 150[	2	
[150 - 160[	5	
[160 - 170[	13	
[170 - 180[	4	
[180 - 190[		
	25	

a. Compléter le tableau. *3 pts*

b. Tracer l'histogramme, en utilisant le graphique ci-après. *3 pts*

c. Combien d'élèves ont une taille inférieure à 180 cm ? *1 pt*

d. Combien d'élèves ont une taille supérieure ou égale à 170 cm ? *1 pt*

e. Calculer le pourcentage d'élèves ayant une taille comprise entre 150 et 170 cm. *1 pt*

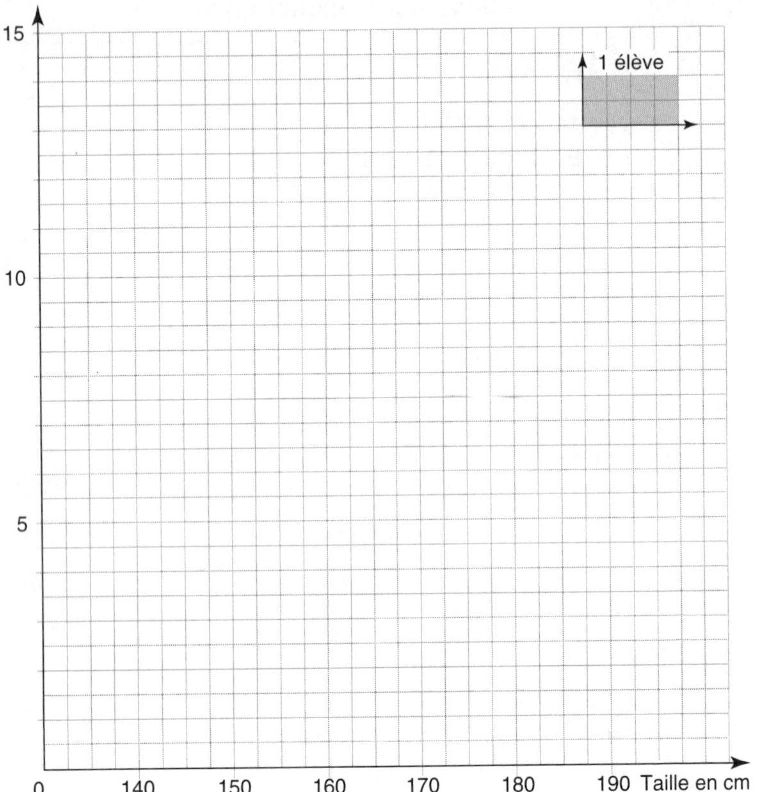
15
10
5
0
140
150
160
170
180
190
Taille en cm
1 élève

SUJET **35**

GROUPE SUD

Juin 1999

Exercice 1 (7 points)
- Théorèmes de Thalès direct et réciproque

Exercice 2 (5 points)
- Théorèmes de Pythagore direct et réciproque
- Patron d'une pyramide

EXERCICE 1

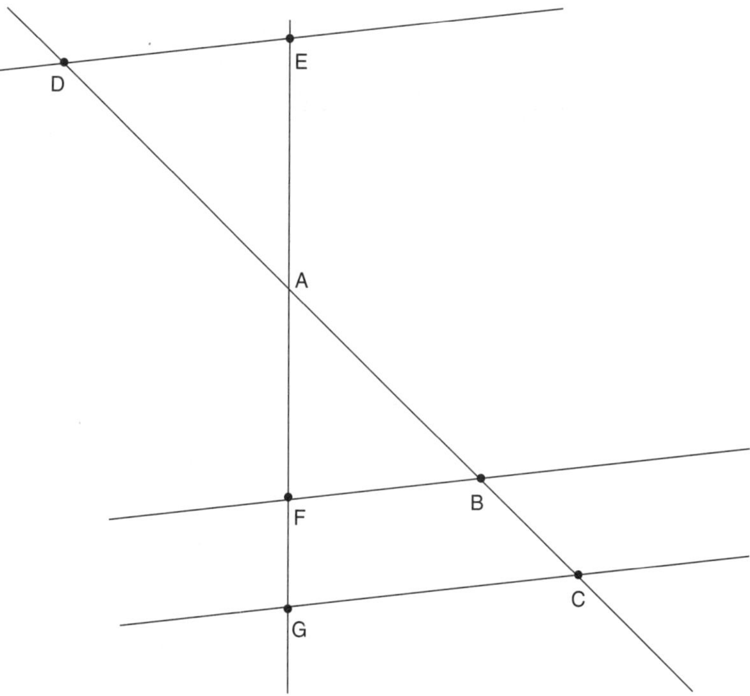

Sur la figure ci-dessus, qui n'est pas dessinée en vraie grandeur, les droites (BF) et (CG) sont parallèles.

1. On donne : AB = 5 ; BC = 4 et AF = 3.
Calculer AG puis FG. *2 pts* *1 pt*

2. On donne AD = 7 et AE = 4,2.
Démontrer que les droites (ED) et (BF) sont parallèles. *4 pts*

EXERCICE 2

L'unité est le centimètre.

SABCD est une pyramide de sommet S ayant pour base le rectangle ABCD.
Les faces latérales SAB, SAD et SDC sont des triangles rectangles.

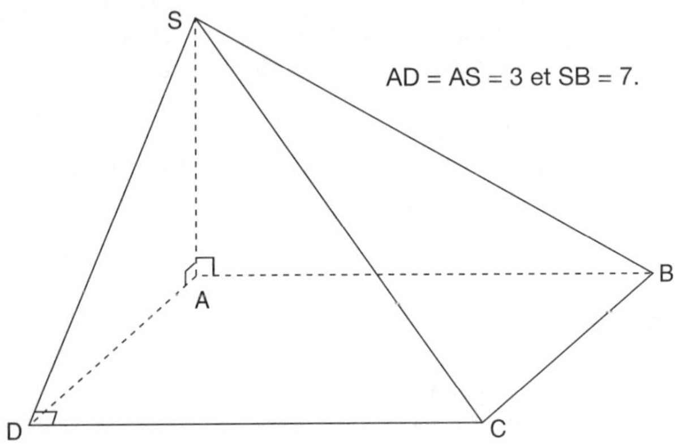

1. Le patron de cette pyramide a été commencé.
Il manque la face SBC. La construire. *1 pt*

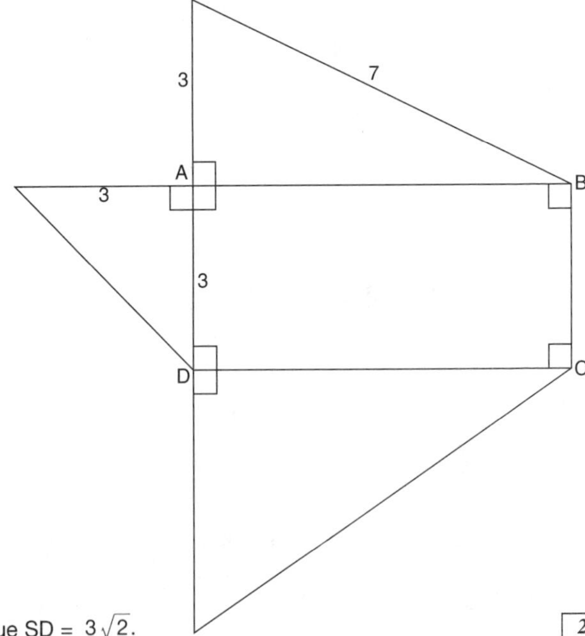

2. Montrer que SD = $3\sqrt{2}$. *2 pts*

3. Sachant que SC = $\sqrt{58}$, prouver que le triangle SBC est rectangle en B. *2 pts*

SUJET **36**

INDE

Juin 1999

Exercice 1 (6 points)
- Construction d'un triangle
- Construction de l'image d'un point par une translation, une symétrie centrale, une symétrie axiale et une rotation

Exercice 2 (3 points)
- Tracé d'une droite
- Lecture graphique
- Résolution d'un système

Exercice 3 (3 points)
- Théorème de Thalès

EXERCICE 1

1. Construire un triangle ABC tel que : AB = 5 cm ; AC = 7 cm ; BC = 8 cm. Placer le milieu I du segment [BC]. *1 pt*

2. Construire les points E, F, G et H définis de la façon suivante :

a. E est l'image de A par la translation de vecteur $\overrightarrow{BC}$; *1 pt*

b. F est l'image de A dans la symétrie de centre I ; *1 pt*

c. G est l'image de A dans la symétrie d'axe (BC) ; *1 pt*

d. H est l'image de A dans la rotation de centre B, d'angle 60°, dans le sens inverse des aiguilles d'une montre. *1 pt*

3. Sans justifier la réponse, dire quels sont les segments qui ont la même longueur que le segment [AB]. *1 pt*

EXERCICE 2

On considère le repère orthonormal (O, I, J) représenté ci-après.

La droite (d_1) déquation $y = \frac{1}{2}x + 4$ est déjà tracée.

1. Tracer la droite (d_2) d'équation $y = -2x - 1$. *1 pt*

2. Les droites (d_1) et (d_2) sont sécantes au point A.

a. Donner les coordonnées du point A à partir d'une simple lecture. *0,5 pt*

b. Retrouver par le calcul les coordonnées de A. *1,5 pt*

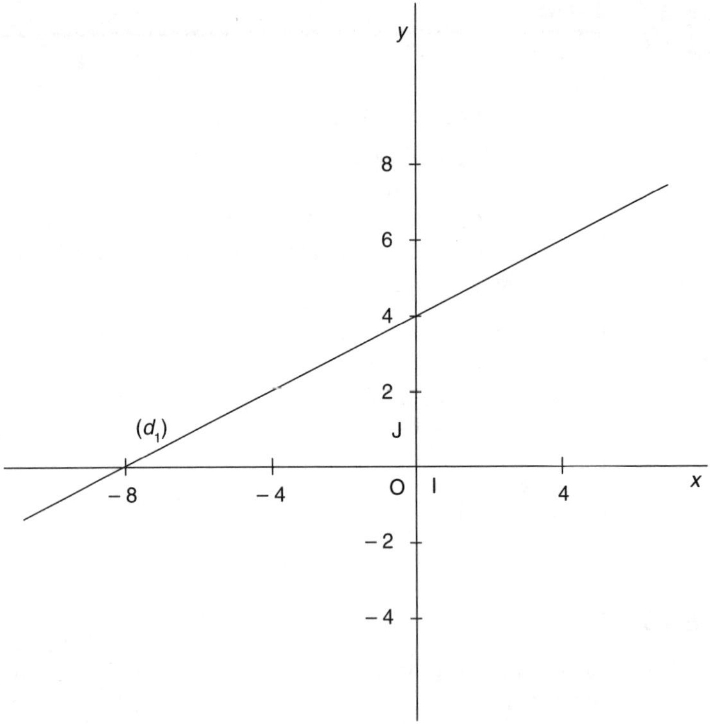

EXERCICE 3

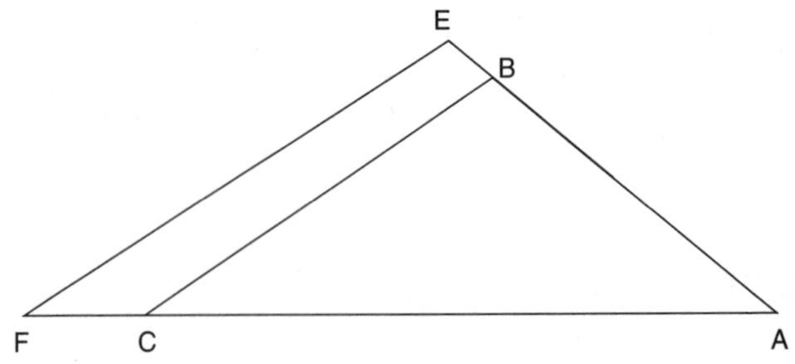

On considère le dessin ci-dessus.

On sait que : (BC) est parallèle à (EF) ; AB = 7,5 ; AE = 9 ; AF = 15 ; BC = 8.

Calculer AC et EF. *1,5 pt* *1,5 pt*

SUJET **37**

LILLE

Juin 1999

Exercice 1 (5 points)
- Volume d'une pyramide et patron
- Théorème de Pythagore
- Trigonométrie dans un triangle rectangle

Exercice 2 (4,5 points)
- Translation
- Égalité vectorielle et parallélogramme
- Propriétés des vecteurs

Exercice 3 (2,5 points)
- Réciproque du théorème de Thalès

EXERCICE 1

SABC est un tétraèdre dont la base est un triangle rectangle et isocèle en C. La hauteur est l'arête [SC].
SC = 3 cm ;
CA = CB = 4 cm.

1. Calculer le volume de cette pyramide. *1,5 pt*

2. Calculer la longueur SA. *1 pt*

3. Compléter le patron de cette pyramide à partir de la figure ci-contre. *1,5 pt*

4. Calculer l'angle $\widehat{SAC}$ à 1 degré près. *1 pt*

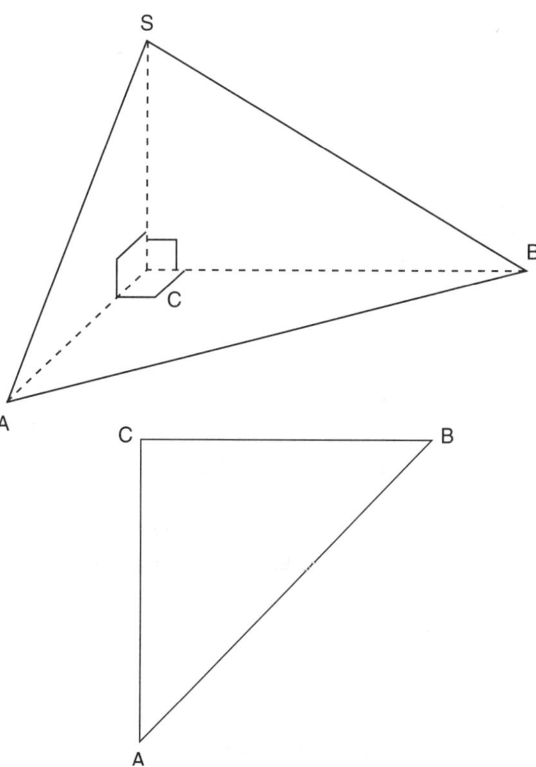

EXERCICE 2

A, B et C sont trois points du plan.
La figure de cet exercice est à compléter à partir de la figure ci-dessous.

1. Construire le point M image de A par la translation de vecteur $\overrightarrow{BC}$. *1 pt*

2. Donner un vecteur égal au vecteur $\overrightarrow{MA}$. *0,5 pt*

3. Construire K tel que : $\overrightarrow{CA} + \overrightarrow{CB} = \overrightarrow{CK}$ et démontrer que : $\overrightarrow{CB} = \overrightarrow{AK}$. *1 pt* *0,5 pt*

4. Démontrer que : $\overrightarrow{MA} = \overrightarrow{AK}$. *1 pt*

Que peut-on en déduire pour le point A ? *0,5 pt*

EXERCICE 3

Ceci est un schéma d'une toile d'araignée.
Les points A, D, E d'une part et A, B, C d'autre part sont alignés.
On a : AB = 16 cm ; BC = 14,4 cm ; AD = 10 cm et AE = 19 cm.

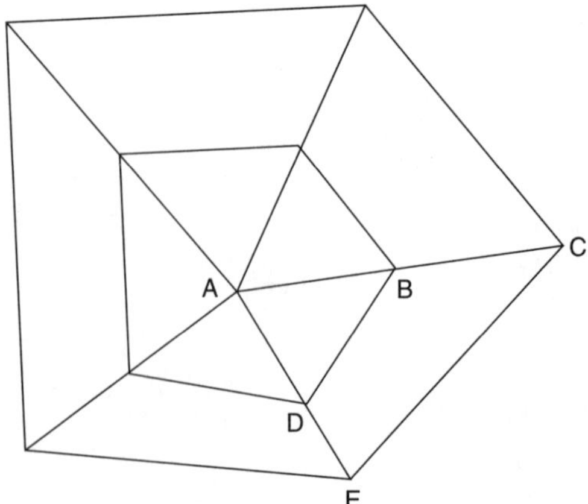

Les droites (BD) et (CE) sont-elles parallèles ? (Justifier la réponse.) *2,5 pts*

SUJET **38**

LIMOGES

Juin 1999

Exercice 1 (6 points)
- Théorème de Thalès
- Réciproque du théorème de Thalès

Exercice 2 (6 points)
- Aire d'un triangle
- Volume d'une pyramide
- Échelle

EXERCICE 1

La figure ci-dessous est donnée à titre d'exemple pour préciser la disposition des points, segments et droites. Elle n'est pas conforme aux mesures données. L'unité de longueur est le centimètre.

On donne :

AB = 7,5 ; BC = 9 ; AC = 6 ; AE = 4 ; BF = 6.

Les droites (DE) et (BC) sont parallèles.

1. Calculer AD. *3 pts*

2. Les droites (EF) et (AB) sont-elles parallèles ?
Calculer EF. *3 pts*

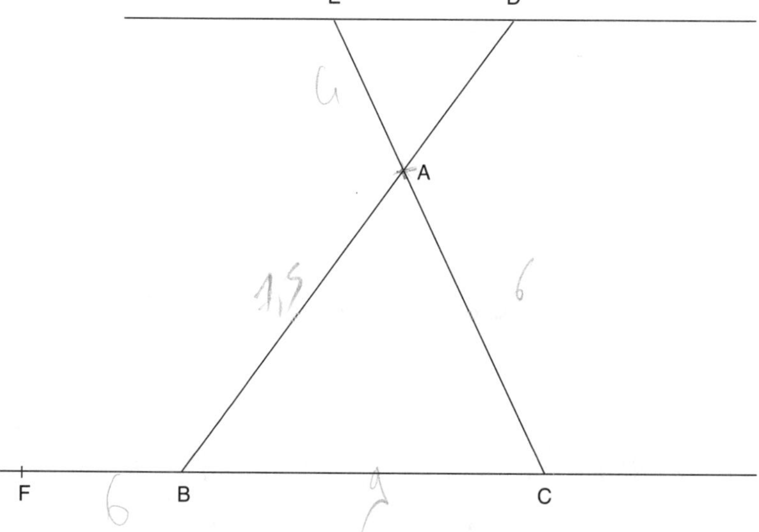

EXERCICE 2

ABCDEFGH est un cube d'arête [AB] avec AB = 12 cm.
I est le milieu du segment [AB].
J est le milieu du segment [AE].
K est le milieu du segment [AD].

1. Calculer l'aire du triangle AKI. *2 pts*

2. Quel est le volume de la pyramide JAIK, de base AIK ? *2 pts*

3. Quelle fraction du volume du cube représente le volume de la pyramide JAIK ? Écrire le résultat sous forme d'une fraction de numérateur 1. *2 pts*

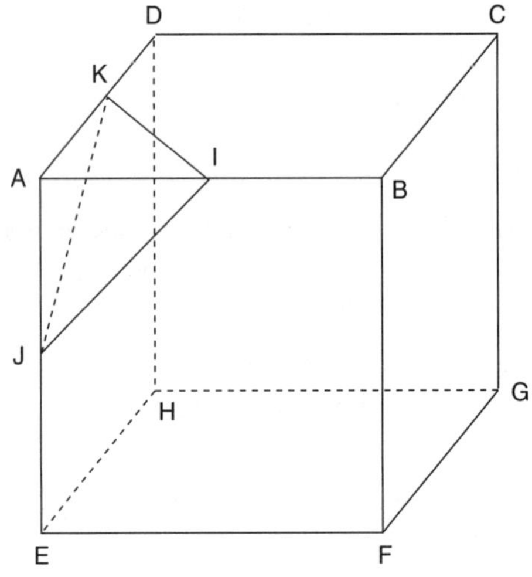

SUJET **39**

NANTES

Juin 1999

Exercice 1 (4 points)
- Théorème de Pythagore
- Symétrie centrale
- Aire d'un triangle

Exercice 2 (3 points)
- Propriété des points d'un cercle
- Propriétés du losange

Exercice 3 (5 points)
- Repérage
- Coefficient directeur d'une droite
- Translation

EXERCICE 1

1. Construire un triangle ABC tel que : AB = 4,8 cm ; AC = 6,4 cm ; BC = 8 cm. *1 pt*

2. Démontrer que le triangle ABC est un triangle rectangle. *1 pt*

3. Construire le point D, symétrique du point B par rapport au point A. *1 pt*

4. Calculer l'aire du triangle BCD. *1 pt*

EXERCICE 2

On sait que :
– (C) est un cercle de centre O ;
– B et D sont des points du cercle (C) ;
– [DE] est un diamètre du cercle (C) ;
– ABOD est un losange.

Démontrer chacune des affirmations suivantes.

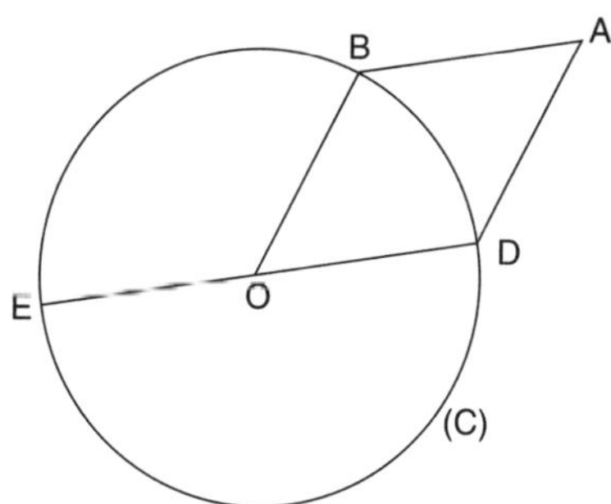

1. Le triangle DBE est rectangle en B. *1 pt*

2. Les droites (OA) et (BD) sont perpendiculaires. *1 pt*

3. Les droites (OA) et (EB) sont parallèles. *1 pt*

EXERCICE 3

1. Sur le graphique ci-après, (O, I, J) est un repère orthonormal.
Placer les points : A(1 ; 2) ; B(2 ; 5) ; C(−2 ; 3). *1 pt*

2. Démontrer que les points A et C appartiennent à la droite d'équation $y = -\frac{1}{3}x + \frac{7}{3}$. *1 pt*

3. Donner le coefficient directeur de la droite (AB) (on ne demande pas de justification). *1 pt*

4. Placer le point D, image du point A par la translation de vecteur $\overrightarrow{BA}$. *1 pt*

Placer le point E, image du point C par la translation de vecteur $\overrightarrow{BA}$. *1 pt*

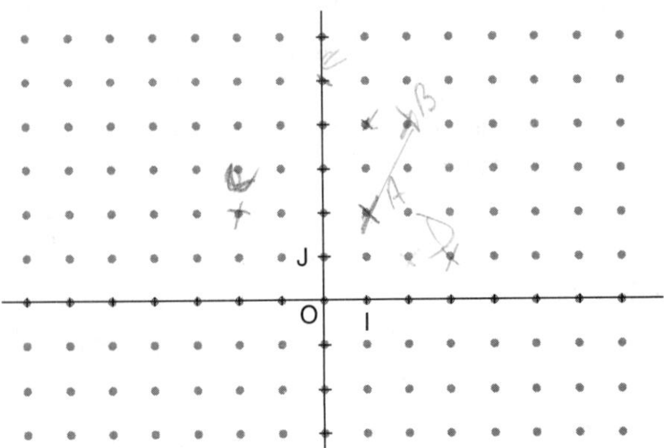

SUJET **40**

POITIERS

Juin 1999

Exercice 1 (7 points)
- Équations de droites et tracés
- Coordonnées du point d'intersection de deux droites
- Droite particulière

Exercice 2 (5 points)
- Transformation d'un point par une rotation
- Égalités vectorielles et propriétés des vecteurs

EXERCICE 1

Le plan est rapporté à un repère orthonormal.
L'unité graphique est le centimètre.
On considère les points A(2 ; –4) et B(–2 ; 8).
Faire une figure que l'on complétera au fur et à mesure de l'exercice.

1. Démontrer que la droite (AB) a pour équation $y = -3x + 2$. *2 pts*

2. On considère la droite (D) d'équation $y = \frac{1}{3}x + 2$.

Construire la droite (D). *1 pt*

3. Calculer les coordonnées du point R, point d'intersection des droites (D) et (AB), et démontrer que R est le milieu du segment [AB]. *2 pts* *1 pt*

4. En admettant que les droites (D) et (AB) sont perpendiculaires, que représente la droite (D) pour le segment [AB] ? Justifier la réponse. *1 pt*

EXERCICE 2

La figure ci-après, que l'on ne demande pas de reproduire, représente un rectangle ABCD de centre O et le point E, symétrique de O par rapport à C.

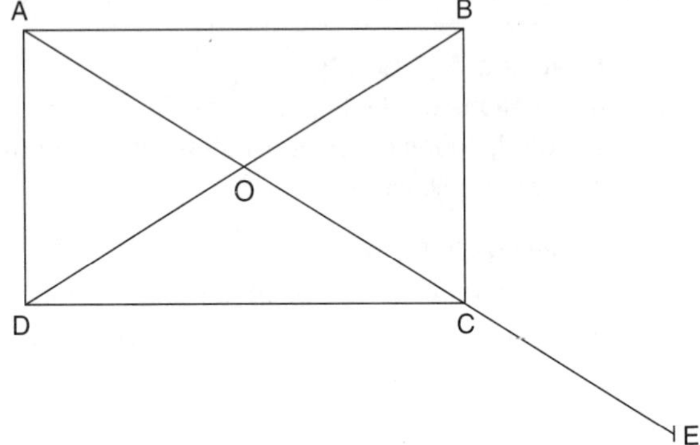

1. On considère la rotation de centre O qui transforme B en C. Quelle est l'image de D par cette rotation ? (On ne demande pas de justifier.) *1 pt*

2. Parmi les affirmations suivantes, recopier celles qui sont vraies (on ne demande pas de justification). *2 pts*

$\overrightarrow{OA} = \overrightarrow{OC}$	$\overrightarrow{OC} = \overrightarrow{OE}$	OA = CE
$\overrightarrow{BE} = \overrightarrow{BO} + \overrightarrow{OE}$	$\overrightarrow{AB} + \overrightarrow{AC} = \overrightarrow{BC}$	$\overrightarrow{AB} + \overrightarrow{AD} = \overrightarrow{AC}$
D est l'image de C par la translation de vecteur $\overrightarrow{AB}$		

3. On considère le point F tel que $\overrightarrow{OF} = \overrightarrow{BE}$. Démontrer que C est le milieu du segment [BF]. *2 pts*

SUJET **41**

RENNES

Juin 1999

Exercice 1 (4 points)
- Théorème de Thalès
- Quadrilatères particuliers

Exercice 2 (4 points)
- Théorème de Pythagore
- Trigonométrie

Exercice 3 (4 points)
- Lecture des coordonnées de vecteurs
- Symétrie orthogonale
- Translation
- Rotation

EXERCICE 1

Le triangle MNP est tel que MP = 8 cm, PN = 12 cm et MN = 15 cm.
Le point A est sur le segment [MP], tel que PA = 4,8 cm.
La parallèle à la droite (PN) passant par A coupe la droite (MN) en B.
La parallèle à la droite (MP) passant par B coupe la droite (NP) en C.

1. Faire la figure. *1 pt*

2. Démontrer que le quadrilatère ABCP est un parallélogramme. *1 pt*

3. Calculer AB. *1 pt*

4. Préciser la nature du parallélogramme ABCP. *1 pt*

EXERCICE 2

1. Paul veut installer chez lui un panier de basket. Il doit le fixer à 3,05 m du sol. L'échelle dont il se sert mesure 3,20 m de long.
À quelle distance du pied du mur doit-il placer l'échelle pour que son sommet soit juste au niveau du panier ? (Donner une valeur approchée au cm près.) *2 pts*

2. Calculer l'angle formé par l'échelle et le sol. (Donner une valeur approchée au degré près.) *2 pts*

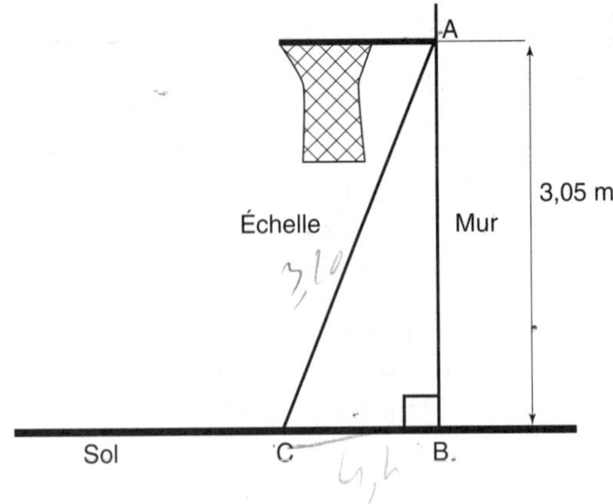

EXERCICE 3

Dans le repère orthonormal (O, I, J) ci-après, on a placé quatre points A, B, C et D.

1. Donner, par lecture graphique, les coordonnées des vecteurs $\overrightarrow{DB}$ et $\overrightarrow{BC}$. *1 pt*

2. Construire $A_1B_1C_1D_1$, image de ABCD par la symétrie orthogonale d'axe (OI). *1 pt*

3. Construire $A_2B_2C_2D_2$, image de ABCD par la translation de vecteur de coordonnées (7 ; 5). *1 pt*

4. Construire $A_3B_3C_3D_3$, image de ABCD par la rotation de centre O et d'angle 90°, dans le sens inverse des aiguilles d'une montre. *1 pt*

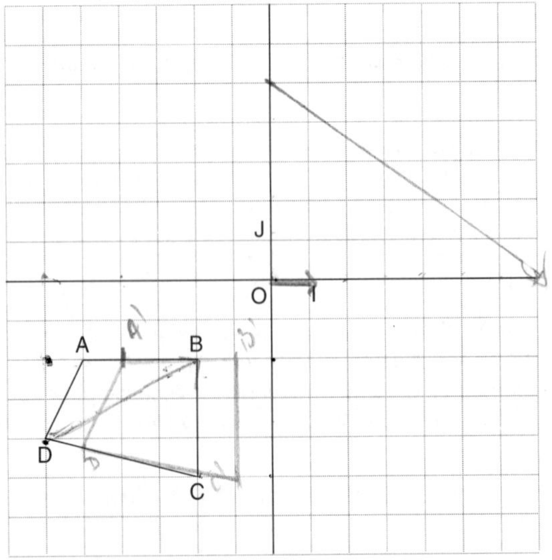

SUJET **42**

RENNES - SÉRIE PROFESSIONNELLE

Juin 1999

STATISTIQUES

Exercice (12 points)

- Calculs de pourcentages
- Calculs d'effectifs
- Diagramme semi-circulaire

EXERCICE

Lors du second tour d'une élection législative entre trois candidats que l'on appellera A, B et C, les résultats ont été les suivants dans une circonscription comptant 112 200 inscrits. Il y a eu 71 247 votants.

1. Calculer le nombre d'abstentionnistes (personnes inscrites n'ayant pas voté). *0,5 pt*

2. Calculer le pourcentage des abstentionnistes par rapport aux inscrits. *1 pt*

3. Parmi les 71 247 bulletins, 4,25 % des bulletins sont déclarés nuls.
Calculer le nombre des votes exprimés (arrondi à l'entier). *1,5 pt*

4. Les trois candidats ont obtenu les résultats suivants :

Candidats	Nombre de voix	Pourcentage à 1 % près	Angle à 1 degré près
A	30 983		
B	28 003		
C	9 233		
		100	180

Recopier et compléter le tableau précédent. *6 pts*

5. Représenter ces résultats sous forme d'un diagramme semi-circulaire de diamètre 10 cm. *3 pts*

GÉOMÉTRIE

Exercice (12 points)
- Échelle
- Calculs d'aires
- Théorème de Pythagore
- Proportionnalité

EXERCICE

Un industriel désire faire le ravalement de la façade de son bâtiment et y reproduire son logo.

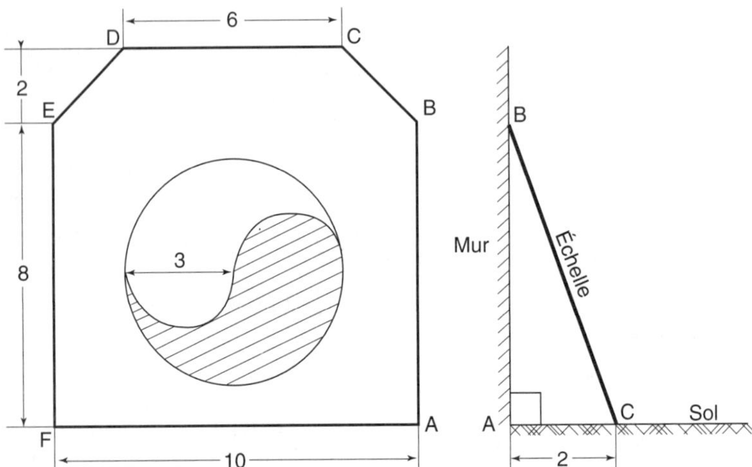

Les cotes sont données en mètres.
Pour les calculs, on pourra prendre $\pi \approx 3{,}14$.

1. Reproduire la façade du bâtiment et le logo à l'échelle 1/100. *3 pts*

2. Calculer l'aire du rectangle ABEF, puis celle du trapèze BCDE *1 pt* *1 pt*

(aire d'un trapèze $A = \frac{(B + b) \times h}{2}$).

En déduire l'aire totale de la façade (polygone ABCDEF) en m^2. *0,5 pt*

3. Quelle longueur d'échelle le peintre doit-il prévoir sachant qu'il doit mettre le pied de l'échelle à 2 m du mur et qu'il doit atteindre une hauteur minimum de 8 m ? *2 pts*

4. Calculer l'aire du logo (disque de rayon 3 m) à 0,01 m^2 près.
En déduire que l'aire hachurée du logo vaut 14,13 m^2. *1,5 pt*

5. Calculer le nombre de pots de peinture nécessaires pour peindre la façade, zone du logo comprise, sachant que : *1 pt*

– il sera fait deux couches de peinture ;

– 1 pot couvrant 16 m^2.

6. Calculer le coût de cette peinture sachant que le pot coûte 310 F. *0,5 pt*

7. La zone hachurée du logo est couverte de deux couches de peinture foncée. Calculer le coût de la peinture foncée, sachant que :

– cette peinture est vendue par pot couvrant 10 m^2 ;

– le pot de cette peinture coûte 120 F. *1,5 pt*

Session 1999

Problèmes

SUJET **43**

AMÉRIQUE DU NORD

Juin 1999

- Volumes de parallélépipède rectangle, de cylindre, de pyramide
- Mathématisation d'un problème géométrique
- Fonctions affines et représentations graphiques
- Lectures graphiques

PROBLÈME (12 points)

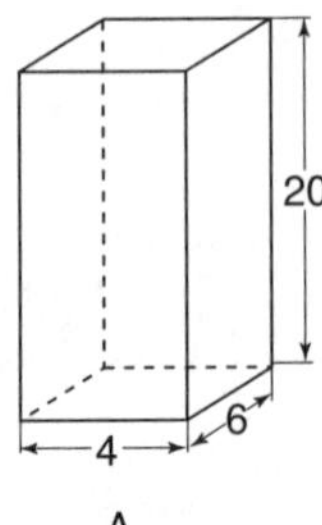

A

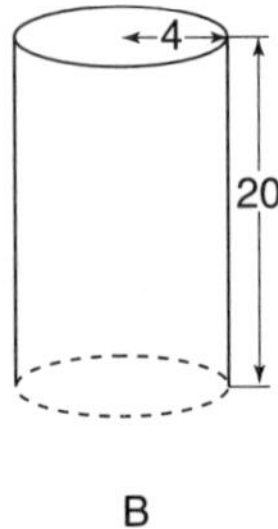

B

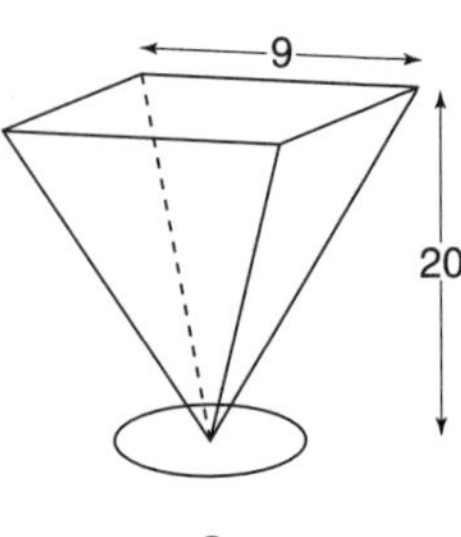

C

Ces schémas, qui ne sont pas à l'échelle, représentent trois vases : A, B et C.
Le vase A représenté ci-dessus a la forme d'un parallélépipède rectangle.
La base est un rectangle dont les dimensions intérieures sont 4 cm de large sur 6 cm de long.
Sa hauteur intérieure est h_A = 20 cm et sa masse m_A = 350 g.
Le vase B a la forme d'un cylindre de rayon intérieur R_B = 4 cm. Sa hauteur intérieure est h_B = 20 cm et sa masse m_B = 200 g.

Partie I

On s'intéresse dans cette partie aux vases A et B.
On arrondira les mesures des volumes au cm^3 près, celles des masses au gramme près et celles des hauteurs au 0,1 cm près.

1. On verse dans A et dans B de l'eau jusqu'à une hauteur de 8 cm. Calculer le volume de l'eau versée dans chaque cas. *2 pts*

2. Sachant que la masse d'un centimètre cube d'eau est de 1 gramme, calculer la masse totale (eau et vase) obtenue dans les deux cas précédents. *2 pts*

3. On fait varier la quantité d'eau dans les vases A et B. On appelle x la hauteur d'eau dans le vase A et y_A la masse totale (eau et vase) en fonction de x. Déterminer y_A en fonction de x. *1 pt*

4. On appelle de même y_B la masse totale de B en fonction de x. On admet sans démonstration que $y_B = 50x + 200$. Calculer la hauteur d'eau dans B si la masse totale y_B du récipient B est de 650 g. *1 pt*

Partie II

Représentations graphiques.

1. Représenter, dans le repère du document ci-dessous, la droite (D_1) d'équation $y = 24x + 350$ et la droite (D_2) d'équation $y = 50x + 200$. *2 pts*

2. Déterminer graphiquement la hauteur d'eau pour laquelle les vases A et B ont les mêmes masses totales. *1 pt*

Partie III

On s'intéresse dans cette partie au vase C.
Le vase C a la forme d'une pyramide régulière dont la base est un carré de côté intérieur 9 cm. Sa hauteur intérieure est $h_C = 20$ cm et sa masse $m_C = 180$ g.
On appelle y_C la masse totale du vase C en fonction de la hauteur x d'eau. Dans le repère du document ci-dessous, on a représenté graphiquement y_C en fonction de x.

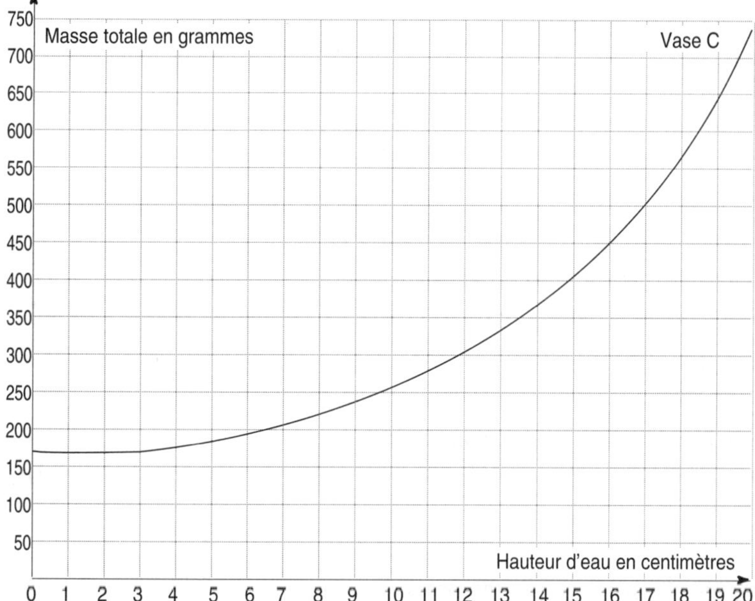

1. A-t-on représenté une application affine ? Pourquoi ? *1 pt*

2. On verse, dans le vase C, 20 cm d'eau.
En lisant sur le graphique (faire apparaître des pointillés), quelle est approximativement la masse totale de ce vase ? *1 pt*

Retrouver la masse exacte par le calcul. *1 pt*

SUJET **44**

AMIENS

Juin 1999

- Triangles particuliers
- Théorème de Pythagore
- Trigonométrie
- Aire de triangles
- Résolution d'une équation
- Quadrilatères particuliers

PROBLÈME (12 points)

La figure ci-contre n'est pas en vraie grandeur.
On sait que AB = 10.
H est le milieu de [AB].
SH = 3.
Les droites (AB) et (SH) sont perpendiculaires.
Les mesures sont exprimées en cm.

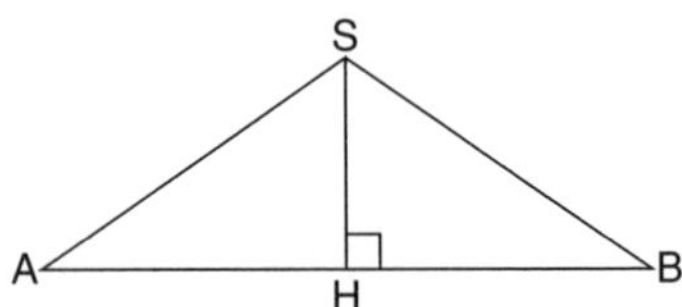

Partie A

1. Faire la figure en vraie grandeur. *1 pt*

2. Montrer que le triangle SAB est isocèle en S. *1 pt*

3. a. Calculer la valeur exacte de SA. *1 pt*

b. En déduire la valeur exacte du périmètre du triangle SAB. *0,5 pt*

4. a. Donner la valeur exacte de tan $\widehat{ASH}$. *1 pt*

b. En déduire le mesure de $\widehat{ASH}$ puis celle de $\widehat{ASB}$ (arrondies au degré). *0,5 pt*

Partie B

Soit M un point du segment [SH], on pose MH = x.

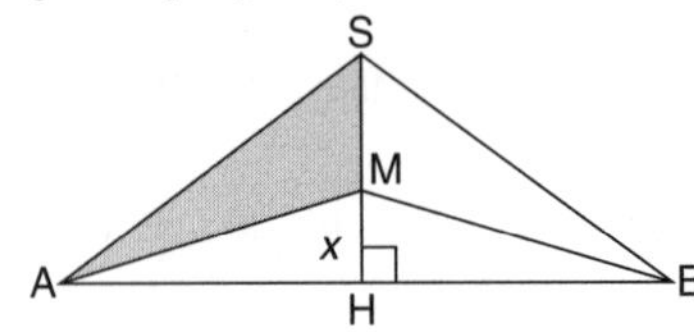

1. Quelles sont les valeurs possibles de x ? (On pourra répondre sous forme d'un encadrement de x.) *0,5 pt*

2. On note $\mathcal{A}_1$ l'aire du triangle BMH et $\mathcal{A}_2$ l'aire du triangle ASM.

a. Montrer que $\mathcal{A}_1 = \frac{5x}{2}$. *0,5 pt*

b. Quelle est la hauteur issue de A du triangle ASM ? *0,5 pt*

c. Exprimer SM en fonction de x. *0,5 pt*

d. Montrer que $\mathcal{A}_2 = \frac{5(3-x)}{2}$. *0,5 pt*

3. Pour quelle valeur de x a-t-on $\mathcal{A}_1 = 2\,\mathcal{A}_2$? *1 pt*

Partie C

On note I le milieu du segment [SH] et E le symétrique de A par rapport à I.

1. Sur votre figure, placer les points I et E. *0,5 pt*

2. Quelle est la nature du quadrilatère ASEH ? Justifier. *1 pt*

3. En utilisant les points de la figure, citer deux vecteurs égaux à $\overrightarrow{AH}$. Justifier les réponses. *1 pt*

4. Démontrer que SEBH est un rectangle. *1 pt*

SUJET **45**

ASIE

Juin 1999

- Mathématisation d'un problème concret
- Fonctions affines et représentations graphiques
- Lecture graphique
- Résolution d'une inéquation du premier degré

PROBLÈME (12 points)

Un collège s'adresse à une compagnie de cars pour faire un voyage scolaire. La compagnie propose deux formules :

Formule A : 10 F par élève transporté et 4,5 F par kilomètre (km) parcouru.

Formule B : 600 F de forfait et 4 F par km parcouru.

Partie A – Il y a 35 élèves qui voyagent

1. a. Déterminer le prix du transport pour un parcours de 220 km avec chacune des deux formules. *2 pts*

b. Le collège donne une somme de 430 F. Le reste de la facture est partagé entre les élèves.

Combien chaque élève doit-il payer ? (On suppose qu'on choisit la formule la moins coûteuse !) *1 pt*

2. Déterminer les prix $p_1(x)$ et $p_2(x)$ du transport en fonction du nombre x de km parcourus dans chacune des deux formules. *3 pts*

3. Représenter graphiquement les droites d_1 et d_2 d'équations respectives :
$y = 4,5x + 350$ et $y = 4x + 600$. *2 pts*

(On choisira : 1 cm pour 40 unités sur l'axe des abscisses ; 1 cm pour 100 unités sur l'axe des ordonnées.)

En utilisant le graphique obtenu, indiquer, suivant le nombre de km parcourus, la formule la plus intéressante. *1 pt*

Partie B – Le voyage fait 420 km

À partir de combien d'élèves la deuxième formule devient-elle la plus intéressante ? *3 pts*

SUJET **46**

ASIE DU SUD-EST

Juin 1999

- Calculs d'aire de triangles
- Inégalité triangulaire
- Tracé de droites
- Lecture graphique et interprétation
- Résolution d'équation

PROBLÈME (12 points)

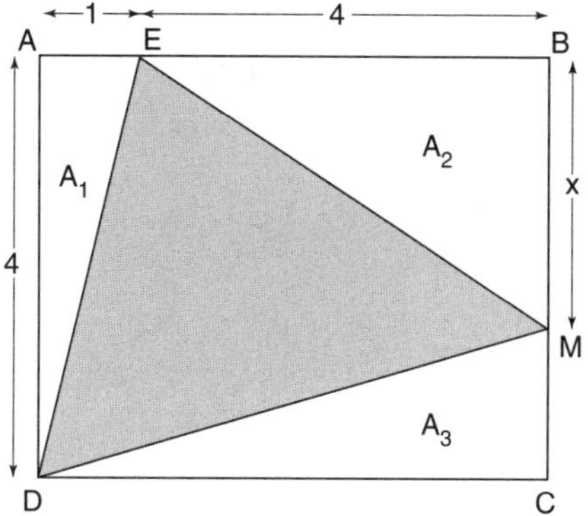

L'unité de longueur est le centimètre et l'unité d'aire est le centimètre carré.

Un rectangle ABCD est tel que AB = 5 et AD = 4.

E est le point du segment [AB] tel que AE = 1.

M est un point du segment [BC].

On pose BM = x.

1. Calculer l'aire A_1 du triangle AED. *0,5 pt*

2. a. Exprimer en fonction de x :

- l'aire A_2 du triangle EBM ; *1 pt*
- la longueur MC ; *1 pt*
- l'aire A_3 du triangle DMC. *1 pt*

b. Montrer que la somme des trois aires A_1, A_2 et A_3 est : $12 - 0{,}5x$. *1 pt*

En déduire que l'aire de la partie grisée est $8 + 0{,}5x$. *1 pt*

c. Calculer la valeur de x pour laquelle l'aire de la partie grisée est égale à la somme des trois aires A_1, A_2 et A_3. *1,5 pt*

Quelle est alors la position du point M ? *1 pt*

3. Le plan est rapporté à un repère orthonormal.

On choisira 1 cm pour représenter une unité sur chacun des deux axes.

a. Tracer, dans ce repère, la droite (d_1) d'équation $y = 8 + 0{,}5x$ et la droite (d_2) d'équation $y = 12 - 0{,}5x$. *1,5 pt*

b. Lire sur le graphique les coordonnées du point I, commun aux droites (d_1) et (d_2). *0,5 pt*

Que représentent l'abscisse et l'ordonnée du point I, en relation avec la partie **c.** de la question **2.**) ? *2 pts*

SUJET **47**

BORDEAUX

Juin 1999

- Théorème réciproque de Pythagore
- Théorème de la droite des milieux
- Théorème de Thalès
- Aires de triangles et réduction

PROBLÈME (12 points)

L'unité de longueur est le centimètre.
Données :

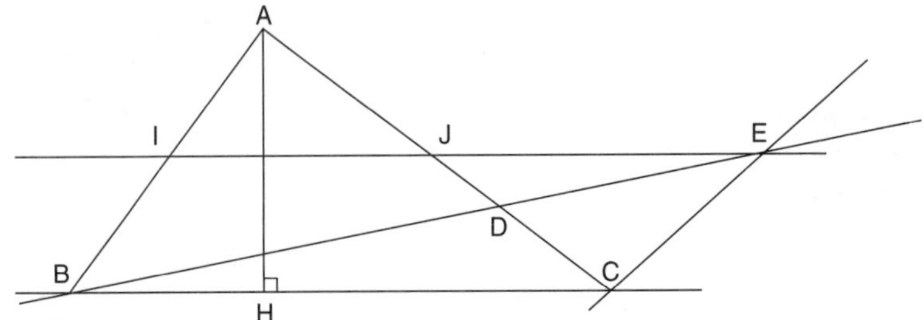

Le triangle ABC est tel que AB = 6, AC = 8 et BC = 10 ;
I est le milieu du segment [AB] et J le milieu du segment [AC] ;
H est le pied de la hauteur issue de A.
Il n'est pas demandé de reproduire la figure sur la copie.

1. a. Démontrer que le triangle ABC est rectangle. *1 pt*

b. Exprimer de deux façons l'aire du triangle ABC et en déduire AH. *2 pts*

2. Démontrer que les droites (IJ) et (BC) sont parallèles, et que IJ = 5. *2 pts*

3. Soit D le point du segment [CJ] tel que CD = 2,5 et E le point d'intersection des droites (IJ) et (BD).

a. Calculer DJ, puis EJ. *0,5 pt* *1,5 pt*

b. Les droites (CE) et (AI) sont-elles parallèles ? *1,5 pt*

4. a. Calculer l'aire du triangle BCD. *1,5 pt*

b. En déduire l'aire du triangle EJD. *2 pts*

SUJET **48**

CENTRES ÉTRANGERS I

Juin 1999

- Égalités vectorielles et parallélogrammes
- Nature d'un triangle
- Comparaison d'aires
- Droites particulières et point particulier dans un triangle

PROBLÈME (12 points)

Soit un cercle $\mathscr{C}$ de diamètre [AB] et de centre O.

Soit M un point de ce cercle (distinct de A et B), et N l'image de M par la translation de vecteur $\overrightarrow{AB}$. (On a donc $\overrightarrow{MN} = \overrightarrow{AB}$.)

1. Réaliser la figure qui sera complétée par la suite. *1 pt*

2. Quelle est la nature du quadrilatère AMNB ? *1 pt*

3. Soit P le symétrique de N par rapport au point B.

a. Quelle est la nature du quadrilatère AMBP ? *2 pts*

b. En déduire que P est le symétrique de M par rapport au point O, et que P appartient au cercle $\mathscr{C}$. *1 pt* *1 pt*

4. a. Quelle est la nature du triangle MNP ? *2 pts*

b. Comparer les aires du triangle MNP et du quadrilatère AMNB. *2 pts*

5. La droite (NO) coupe la droite (MB) en G.

Démontrer que la droite (PG) coupe le segment [MN] en son milieu. *2 pts*

SUJET **49**

CENTRES ÉTRANGERS II

Juin 1999

- Théorèmes de Pythagore et de Thalès
- Volumes d'un cône et d'un cylindre
- Unités de longueur
- Proportionnalité
- Lectures graphiques

PROBLÈME (12 POINTS)

Dans ce problème, on considère deux récipients :
– l'un de forme conique, de rayon de base 8 cm et de hauteur 24 cm ;
– l'autre de forme cylindrique, de rayon 8 cm également.

Le but du problème est de comparer les hauteurs d'eau dans les deux récipients lorsqu'ils contiennent le même volume d'eau.

Dans tout le problème, la hauteur d'eau dans le récipient conique est notée x et la hauteur dans le récipient cylindrique est notée y.

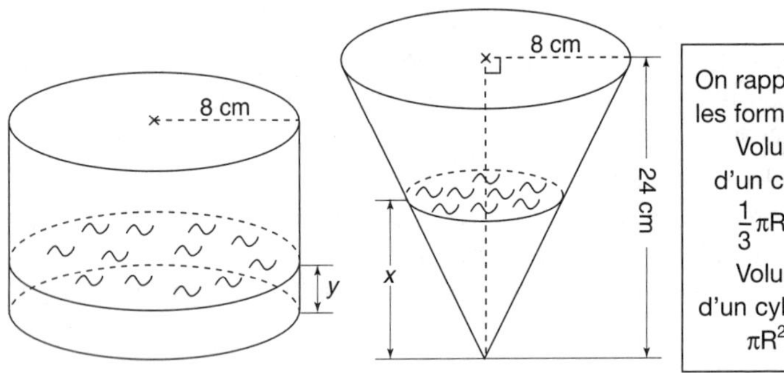

On rappelle les formules :
Volume d'un cône : $\frac{1}{3}\pi R^2 h$.
Volume d'un cylindre : $\pi R^2 h$.

Partie I

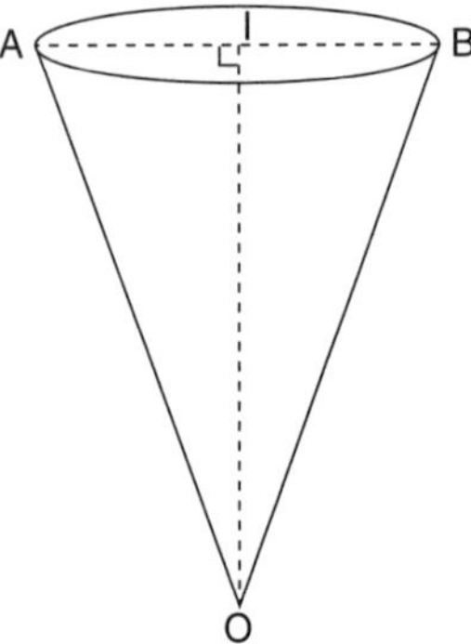

Dans cette partie, on considère le récipient conique.

Calculer la longueur OB d'une génératrice du cône. *1 pt*

Écrire OB sous la forme $a\sqrt{b}$ où b est un entier naturel le plus petit possible. *1 pt*

Partie II

Dans le récipient conique, on verse de l'eau jusqu'à une hauteur $x = 6$ cm. Le liquide occupe un volume conique.

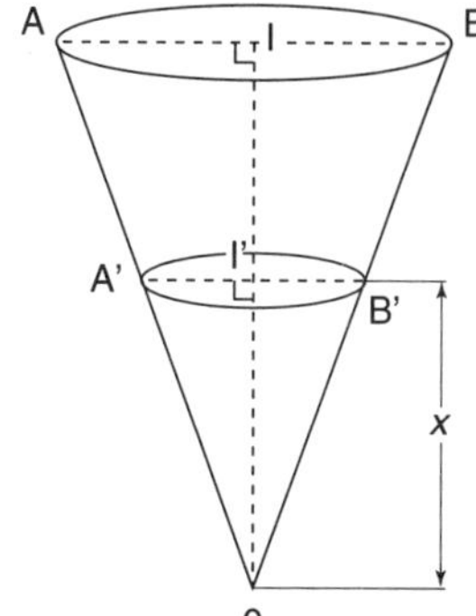

1. Calculer le rayon I'B' du cercle de base de ce volume conique. *1,5 pt*

2. En déduire le volume en cm^3 du liquide (résultats sous forme exacte puis arrondie à 0,1 cm^3 près). *1,5 pt*

3. On verse le même volume d'eau dans le récipient cylindrique.
Quelle est la hauteur y de liquide dans le récipient cylindrique ?
Donner le résultat en cm puis en mm. *1,5 pt*

Partie III

En météorologie, la quantité de pluie tombée se mesure en hauteur d'eau. En général, dans les régions tempérées, une pluie normale donne quelques millimètres d'eau. Un récipient cylindrique recueillant la pluie donnerait directement cette hauteur, mais ce ne serait pas facile à lire.
On utilise donc parfois un récipient conique pour recueillir la pluie.
Un tel récipient est appelé pluviomètre.
Dans cette partie, on prend comme pluviomètre le récipient de forme conique des parties précédentes (rayon de base : 8 cm, hauteur : 24 cm).
Soit x la hauteur d'eau dans le pluviomètre (en cm) et y la hauteur de pluie correspondante (en cm).

On admet que $y = \left(\dfrac{x}{12}\right)^3$.

1. Retrouver le résultat de la question 3 de la deuxième partie. *1 pt*

2. Recopier et compléter le tableau :

Hauteur d'eau x dans le pluviomètre (en cm)	12	18	24
Hauteur de pluie y (en cm)			
Hauteur de pluie en mm			

1,5 pt

La hauteur de pluie est-elle proportionnelle à la hauteur d'eau dans le pluviomètre ? *1 pt*

3. Les deux graphiques suivants représentent, à des échelles différentes, la hauteur de pluie y en fonction de la hauteur d'eau x dans le pluviomètre :

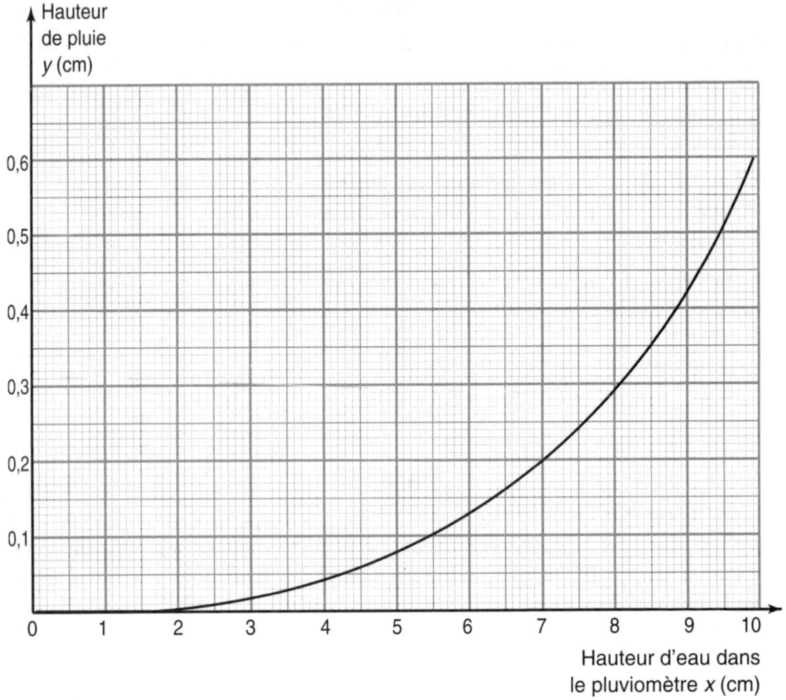

Hauteur
de pluie
y (cm)
0,6
0,5
0,4
0,3
0,2
0,1
0
1
2
3
4
5
6
7
8
9
10
Hauteur d'eau dans
le pluviomètre x (cm)

y
(cm)
5
4
3
2
1
0
2
4
6
8
10
12
14
16
18
20
22
x (cm)

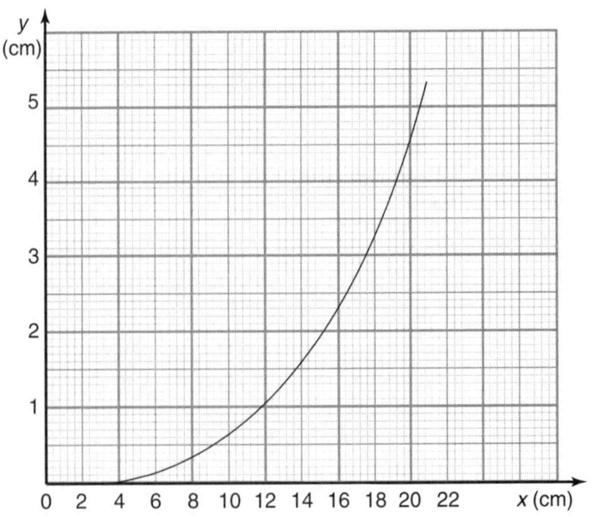

a. Lundi, une averse a donné 3 mm de pluie. Mardi, une averse a donné 30 mm de pluie.
Pour chacune de ces averses, lire graphiquement la hauteur d'eau recueillie par le pluviomètre. *1 pt*

b. Jeudi une averse a donné 7,5 cm d'eau dans le pluviomètre.
Vendredi, une averse a donné 16 cm d'eau dans le pluviomètre.
Lire graphiquement la hauteur de pluie donnée par chacune de ces averses. *1 pt*

SUJET **50**

CENTRES ÉTRANGERS III

Juin 1999

- Calculs de distances
- Réciproque du théorème de Pythagore
- Égalité vectorielle et parallélogramme
- Théorèmes de la droite des milieux
- Coordonnées de points, de vecteurs dans un repère
- Propriétés d'un triangle rectangle
- Comparaison d'aires

PROBLÈME (12 points)

Utiliser le graphique ci-dessous.

Dans le repère orthonormal (O, I, J), on considère les points :

$$A(-2\,;3)\,;\quad B(1\,;-1)\,;\quad C(9\,;5)\,;\quad K\left(\frac{7}{2}\,;4\right).$$

On admettra dans toute la suite du problème que :

$$BC = 10,\quad AC = 5\sqrt{5}.$$

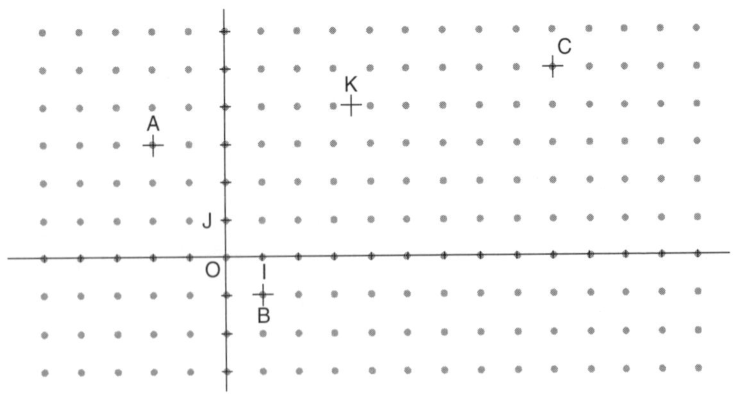

1. a. Calculer la longueur du segment [AB]. *1 pt*

b. Démontrer que le triangle ABC est rectangle. *2 pts*

c. Démontrer que K est le milieu de [AC]. *1 pt*

d. Déduire des questions précédentes que KC = KB. *1 pt*

2. Placer sur le graphique le point D, image du point C par la translation de vecteur $\overrightarrow{KB}$. **0,5 pt**

a. Démontrer que le quadrilatère KCDB est un losange. **1 pt**

b. Démontrer que les droites (KD) et (AB) sont parallèles. **1 pt**

c. Calculer les coordonnées du vecteur $\overrightarrow{KB}$. **1 pt**

d. Démontrer que les coordonnées du point D sont $\left(\frac{13}{2}\,;\,0\right)$. **1 pt**

3. Soit E le point d'intersection des droites (AB) et (CD).
Démontrer que D est le milieu du segment [EC]. **1 pt**

4. Démontrer que l'aire du triangle AEC est le double de l'aire du losange KCDB. **1,5 pt**

SUJET **51**

CLERMONT-FERRAND

Juin 1999

- Triangles particuliers
- Théorème de Pythagore (réciproque)
- Théorème de Thalès
- Cercles circonscrits à un triangle
- Théorème des milieux
- Quadrilatères particuliers

PROBLÈME (12 points)

Tracer un segment [BC] de longueur 6 cm et construire sa médiatrice Δ.
Δ coupe [BC] en H. Soit A un point de Δ tel que HA = 4 cm.

1. Quelle est la nature du triangle ABC ? Justifier la réponse. *1,5 pt*

2. Montrer que AB = 5 cm. *1,5 pt*

3. Soit E le point de [BC] tel que BE = 2 cm. La droite *d* passant par E et parallèle à Δ coupe [AB] en F.

Montrer que $\frac{BF}{BA} = \frac{2}{3}$. *2 pts*

En déduire la valeur exacte de BF. *1 pt*

4. Soit I le centre du cercle circonscrit au triangle ABH.
Soit J le centre du cercle circonscrit au triangle ACH.

a. Démontrer que les droites (IJ) et (BC) sont parallèles. *2 pts*

b. Calculer IJ. *2 pts*

5. Quelle est la nature du quadrilatère AIHJ ? Justifier la réponse. *2 pts*

CRÉTEIL - PARIS - VERSAILLES

Juin 1999

- Mathématisation d'un problème concret
- Fonctions affines et représentations graphiques
- Résolution d'une inéquation du premier degré à une inconnue
- Lectures graphiques permettant de faire un choix et de répondre à des questions précises

PROBLÈME (12 points)

Partie I

Un club multisports propose à sa clientèle de choisir entre les trois formules suivantes :

Formule A : 75 F par séance.

Formule B : un forfait annuel de 900 F auquel s'ajoute une participation de 30 F par séance.

Formule C : un forfait annuel de 3300 F permettant l'accès illimité aux séances.

1. Kevin décide de suivre une séance par mois pendant toute l'année ;
Nadia une séance par semaine pendant toute l'année ;
Perrine deux séances par semaine pendant toute l'année.
(On rappelle qu'une année comporte 52 semaines.)

a. Recopier et compléter le tableau suivant. *3 pts*

On ne demande aucune justification ni aucun détail de calcul pour cette question.

	Kevin	Nadia	Perrine
Nombre de séances pour l'année			
Prix à payer en francs avec la formule A			
Prix à payer en francs avec la formule B			
Prix à payer en francs avec la formule C			

b. En déduire la formule la plus avantageuse pour chacun. *1 pt*

2. On appelle x le nombre de séances suivies par une personne pendant un an ;
P_A le prix à payer en francs pour l'année si elle choisit la formule A ;
P_B le prix à payer en francs pour l'année si elle choisit la formule B.
Exprimer P_A et P_B en fonction de x. *1 pt*

3. Résoudre l'inéquation $75x \leqslant 900 + 30x$. *1 pt*

Comment peut-on interpréter la réponse ? *0,5 pt*

Partie II

Sur une feuille de papier millimétré, tracer un repère orthogonal (O, I, J), O étant placé en bas à gauche.
On prendra les unités suivantes : 1 cm pour 10 séances sur l'axe des abscisses ; 1 cm pour 200 F sur l'axe des ordonnées.

1. Tracer, dans ce repère, les droites :
- d_A, d'équation $y = 75x$; *1 pt*
- d_B, d'équation $y = 30x + 900$; *1 pt*
- d_C, d'équation $y = 3\,300$. *0,5 pt*

Pour les questions suivantes, on ne demande aucun calcul, mais on fera apparaître les traits de construction permettant d'y répondre.

2. Véronique a choisi la formule A et elle a payé 3 000 F pour l'année.
Déterminer **graphiquement** :
a. le nombre de séances qu'elle a suivies ; *1 pt*
b. le nombre de séances qu'elle aurait pu suivre si elle avait choisi la formule B. *1 pt*

3. Déterminer **graphiquement** le nombre de séances à partir duquel il est plus avantageux de choisir la formule C. *1 pt*

SUJET 53 GRENOBLE

Juin 1999

- Calculs d'aires d'un trapèze et d'un rectangle
- Interprétations de résultats numériques
- Inégalité triangulaire
- Lecture graphique
- Résolution d'une inéquation
- Proportionnalité

PROBLÈME (12 points)

Partie A

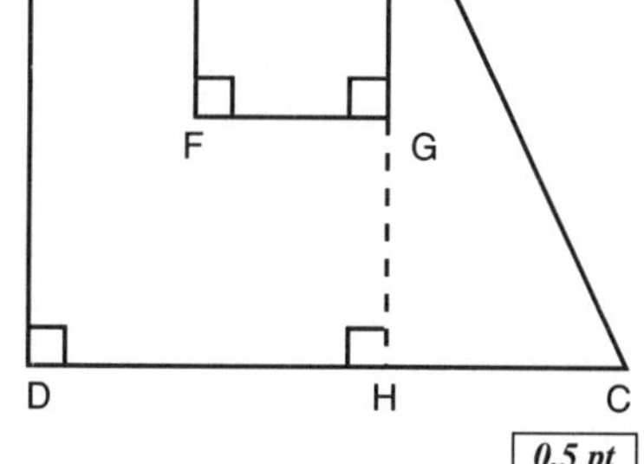

La famille Martin possède le terrain ABCD et veut faire construire sur ce terrain une maison BEFG, comme indiqué sur la figure ci-contre.

ABCD est un trapèze.
BEFG est un rectangle.
L'unité de longueur est le mètre.
On donne : AB = 15 ; AD = 20 ; DC = 25 ; AE = 7.

Montrer que l'aire du terrain est 400 m². **0,5 pt**

La réglementation municipale impose que les deux conditions suivantes soient vérifiées :

Condition n° 1 : l'aire de la maison est supérieure ou égale à 60 m².

Condition n° 2 : le nombre K défini par $K = \dfrac{\text{aire de la maison}}{\text{aire du terrain}}$ est tel que $K \leqslant 0{,}3$.

Les parties B, C, D du problème peuvent être traitées indépendamment l'une de l'autre.

Partie B

On donne à GH successivement les valeurs 3,2 ; 10 et 13.

1. Pour chacune de ces valeurs de GH, calculer l'aire $\mathcal{M}$ de la maison et dire si la condition n° 1 est vérifiée. **1 pt**

2. Pour chacune de ces valeurs de GH, calculer le nombre K et dire si la condition n° 2 est vérifiée. **1 pt**

3. Pour laquelle de ces trois valeurs de GH la construction de la maison est-elle autorisée ? **1 pt**

Partie C

Dans cette partie, on pose GH = x.

1. a. Exprimer BG en fonction de x. *1 pt*

b. Calculer l'aire de la maison en fonction de x. *1 pt*

2. Dans un repère orthogonal, on choisit les unités graphiques suivantes :
- sur l'axe des abscisses, 1 cm représente 1 m ;
- sur l'axe des ordonnées, 1 cm représente 10 m^2.

Représenter la droite d'équation $y = 160 - 8x$. *1 pt*

3. Utiliser le graphique pour répondre aux questions suivantes (on fera apparaître les constructions utiles).

a. Quelle est l'aire de la maison lorsque $x = 5$? *0,5 pt*

b. Pour quelle valeur de x l'aire de la maison est-elle 100 m^2 ? *0,5 pt*

c. Quelles sont les valeurs de x pour lesquelles on a $160 - 8x \geqslant 60$?
(on rappelle que $x \geqslant 0$). *1 pt*

4. Déterminer par le calcul les valeurs de x pour lesquelles $\dfrac{160 - 8x}{400} \leqslant 0,3$.

1,5 pt

5. Déduire des questions **3. c.** et **4.** les valeurs de x pour lesquelles les conditions n° 1 et n° 2 sont vérifiées. *1 pt*

Partie D

La maison de la famille Martin est construite sur une dalle en béton dont le volume est 18 m^3.
Pour faire ce béton Monsieur Martin utilise une bétonnière qui malaxe chaque fois 350 litres.
Combien de fois devra-t-il faire fonctionner la bétonnière ? *1 pt*

SUJET **54**

GROUPE EST - SÉRIE COLLÈGE

Juin 1999

- Trigonométrie
- Propriétés du triangle rectangle
- Position de deux droites
- Théorème de Thalès
- Calculs d'aires
- Quadrilatères particuliers
- Symétrie centrale
- Translation

PROBLÈME (12 points)

Dans ce problème, vous pourrez utiliser les données du tableau suivant :

Mesure de l'angle en degrés	Cosinus	Sinus	Tangente
30°	$\frac{\sqrt{3}}{2}$	$\frac{1}{2}$	$\frac{\sqrt{3}}{3}$
60°	$\frac{1}{2}$	$\frac{\sqrt{3}}{2}$	$\sqrt{3}$

On considère un triangle LMN rectangle en M tel que LM = 6 cm et $\widehat{MLN} = 30°$.
Reproduire la figure en vraie dimension et la compléter au fur et à mesure des questions. **2,5 pts**

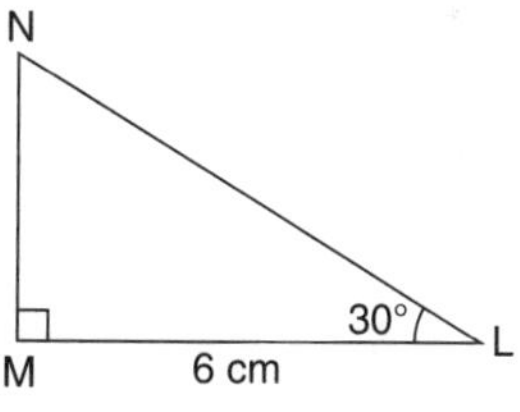

1. Montrer que la valeur exacte de LN est $4\sqrt{3}$ cm. **0,5 pt**

2. Tracer le cercle (C) de diamètre [ML] ; il recoupe le segment [LN] en P.
Quelle est la nature du triangle LMP ? Justifier. **0,5 pt**

3. Montrer que la valeur exacte de MP est 3 cm. **0,5 pt**

4. Montrer que la valeur exacte de LP est $3\sqrt{3}$ cm. **0,5 pt**

5. Tracer la droite perpendiculaire à (LN) passant par N ; elle coupe (LM) en R.
Que peut-on en déduire pour les droites (RN) et (MP) ? Justifier. **0,5 pt**

6. Montrer que la valeur exacte de RN est 4 cm. **1,5 pt**

7. Calculer les aires des triangles MPL et RNL (on donnera les résultats sous leur forme exacte). *2 pts*

Quelle est la nature du quadrilatère MPNR ? *0,5 pt*

Calculer son aire. *1 pt*

8. Placer le point S, symétrique de L par rapport à P, et placer le point T, image de S par la translation de vecteur $\overrightarrow{ML}$.
Montrer que P est le milieu du segment [MT]. *2 pts*

SUJET **55**

GROUPE EST - SÉRIE TECHNOLOGIQUE

Juin 1999

- Tableau à compléter
- Représentation graphique
- Lectures graphiques

PROBLÈME (12 points)

Deux entreprises de déménagement proposent les tarifs suivants :

Entreprise A : 15,20 francs par kilomètre parcouru.

Entreprise B : une somme fixe de 800 francs et 8,80 francs par kilomètre parcouru.

1. Compléter les tableaux suivants :

Entreprise A

Distance en km	50		150		250	x
Coût en F		1 520		2 736		y_1

2,5 pts

Exprimer le prix payé y_1 en fonction de x distance parcourue (en km). *0,5 pt*

Entreprise B

Distance en km	50		150		250	x
Coût en F		1 680		2 560		y_2

2,5 pts

Exprimer le prix payé y_2 en fonction de x distance parcourue (en km). *0,5 pt*

2. Représenter ces deux fonctions dans un même repère orthogonal dans lequel 1 cm représente 25 km en abscisse et 1 cm représente 200 F en ordonnée. *3 pts*

3. Pour chaque entreprise, déterminer graphiquement le coût du déménagement pour 75 km. *1 pt*

4. Par lecture graphique, pour quelle valeur de la distance x le coût du déménagement est-il le même pour l'entreprise A et pour l'entreprise B ? *1 pt*

Indiquer alors le coût de ce déménagement. *1 pt*

SUJET **56**

GROUPE SUD

Juin 1999

- Mathématisation d'un problème concret
- Fonctions affines et représentations graphiques
- Lectures graphiques
- Conversion en euros de sommes exprimées en francs

PROBLÈME (12 points)

Trois artisans, Arthur, Bernard et Charles, fabriquent chaque mois le même nombre de jouets.
Leur salaire mensuel est calculé de la façon suivante :
– Arthur a un salaire fixe de 9 000 F ;
– Bernard a un salaire de 3 000 F augmenté d'une prime de 50 F par jouet qu'il a fabriqué ;
– Charles a un salaire de 4 000 F augmenté d'une prime de 40 F par jouet qu'il a fabriqué.

1. Recopier et compléter le tableau suivant représentant le salaire de chacun des artisans lorsque ceux-ci ont fabriqué :
– 130 jouets pendant un mois ;
– 100 jouets pendant un mois.

	Salaire d'Arthur	**Salaire de Bernard**	**Salaire de Charles**
130 jouets			
100 jouets			

2,5 pts

2. Soit x le nombre de jouets fabriqués pendant un mois.
Exprimer en fonction de x les salaires respectifs d'Arthur, de Bernard et de Charles.
Les salaires seront notés respectivement y_A, y_B et y_C. *1,5 pt*

3. On se place dans un repère orthogonal et on prend les unités suivantes :
– sur l'axe des abscisses 1 cm représente 10 unités ;
– sur l'axe des ordonnées 1 cm représente 500 unités.
Prendre l'origine du repère en bas et à gauche de la feuille.
Construire dans ce repère les droites D_1, D_2 et D_3 d'équations :

$D_1 : y = 9\,000$; *0,5 pt*

$D_2 : y = 50x + 3\,000$; *1 pt*

$D_3 : y = 40x + 4\,000$. *1 pt*

4. À l'aide du graphique précédemment obtenu, répondre aux questions suivantes :

a. À partir de combien de jouets fabriqués en un mois peut-on dire que Bernard aura un salaire supérieur ou égal à celui de Charles ? *1,5 pt*

b. À partir de combien de jouets fabriqués en un mois peut-on dire que Bernard aura un salaire supérieur ou égal à celui de Charles et à celui d'Arthur ? *1,5 pt*

c. Les trois artisans pourront-ils toucher le même salaire mensuel ?
Expliquer la réponse. *1 pt*

5. À partir du 1er janvier 2002, les salaires seront versés en euros.
Sachant que 1 euro vaut environ 6,56 F, calculer le salaire en euros de chacun des trois artisans lorsqu'ils auront fabriqué chacun 100 jouets.
On donnera, pour chaque salaire, la valeur arrondie à 1 euro près. *1,5 pt*

SUJET **57**

INDE

Juin 1999

- Construction de triangles
- Volume de pyramides
- Échelle
- Lectures graphiques
- Résolution d'équations

PROBLÈME (12 points)

On considère la pyramide régulière (SABCD) dont la base est le carré ABCD de côté 6 cm. La hauteur SO mesure 9 cm. (Voir dessin n° 1 ci-après.)

Partie A

1. Construire le triangle ABC en vraie grandeur. *1 pt*

2. Construire le triangle SOC en vraie grandeur. *1 pt*

Partie B

1. Montrer que le volume de la pyramide est $\mathcal{V} = 108$ cm^3. *1,5 pt*

On coupe la pyramide par un plan parallèle à la base, passant par le point O' du segment [SO] tel que SO' = 3 cm. On obtient la pyramide (SA'B'C'D'), réduction de (SABCD) à l'échelle $\frac{1}{3}$.

2. Placer O' sur le dessin effectué dans la deuxième question de la partie A. Construire C'. *1 pt*

3. Calculer le volume $\mathcal{V}'$ de la pyramide (SA'B'C'D'). *1,5 pt*

4. Après avoir coupé la pyramide (SABCD), la partie basse s'appelle un tronc de pyramide : (ABCDA'B'C'D'). (Voir dessin n° 2.)
Montrer que son volume est $\mathcal{V}'' = 104$ cm^3. *0,5 pt*

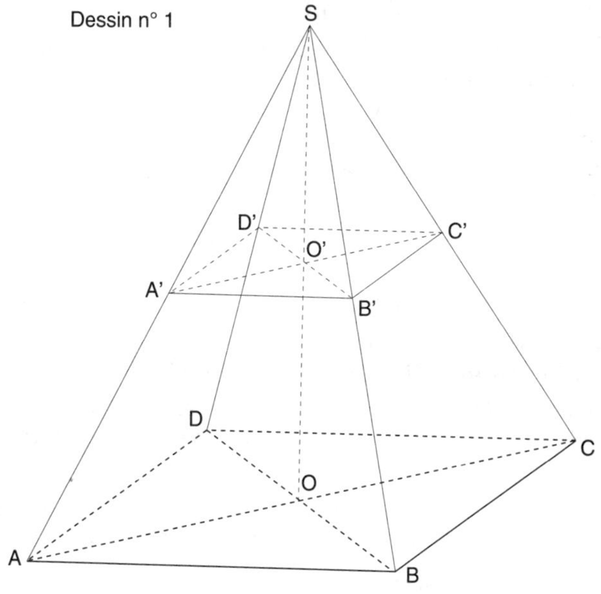
Dessin n° 1
S
D'
C'
O'
A'
B'
D
C
O
A
B

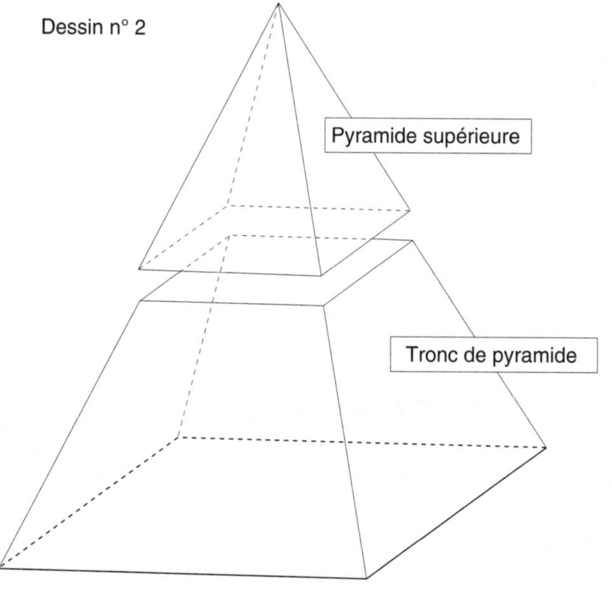
Dessin n° 2
Pyramide supérieure
Tronc de pyramide

Partie C

On suppose maintenant que le point O' se déplace sur le segment [SO]. Le volume $\mathcal{V}$' de la pyramide supérieure (SA'B'C'D') et celui $\mathcal{V}$" du tronc de pyramide (ABCDA'B'C'D') varient selon la position du point O'. On pose OO" = x (en cm).
Le graphique représente le volume $\mathcal{V}$' de la pyramide supérieure (SA'B'C'D') et celui $\mathcal{V}$" du tronc de pyramide (ABCDA'B'C'D'), en fonction de x.
Voir représentations graphiques ci-après.

1. a. Comment voir sur le graphique la valeur de x pour laquelle les volumes $\mathcal{V}$' et $\mathcal{V}$" sont égaux ? *1 pt*

b. Indiquer, à l'aide d'une lecture graphique, le volume correspondant. *1 pt*

c. Retrouver ce dernier résultat par un calcul. *1,5 pt*

Utiliser le graphique pour répondre aux questions suivantes.

2. Lorsque le point O' est au milieu de [SO], quel est le volume $\mathcal{V}$' de la pyramide supérieure (SA'B'C'D') et celui $\mathcal{V}$" du tronc de pyramide (ABCDA'B'C'D') ? *1 pt*

3. Une entreprise veut fabriquer un emballage ayant la forme d'un tronc de pyramide, d'un volume égal à 80 cm^3. Quelle doit être la hauteur OO' ? *1 pt*

Représentations graphiques

Volumes de la pyramide (SA'B'C'D') et du tronc de pyramide (ABCDA'B'C'D') en fonction de x

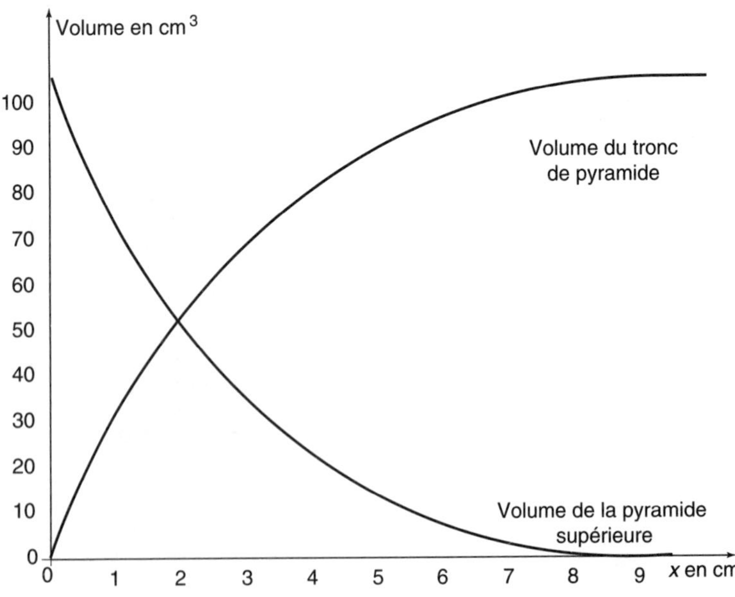

SUJET **58**

LILLE

Juin 1999

- Réciproque du théorème de Pythagore
- Quadrilatères particuliers
- Mathématisation d'un problème géométrique
- Théorème de Thalès
- Résolution d'une équation du premier degré

PROBLÈME (12 points)

Dans ce problème, l'unité utilisée est le millimètre.

ABC est un triangle tel que : AB = 42, AC = 56, BC = 70.

Dans tout le problème :

M est un point du segment [BC] distinct de B et C.

La perpendiculaire à la droite (AB) passant par M coupe le segment [AB] en H.

La perpendiculaire à la droite (AC) passant par M coupe le segment [AC] en K.

1. Démontrer que ABC est un triangle rectangle en A. *1 pt*

2. Compléter la figure ci-dessous. *0,5 pt*

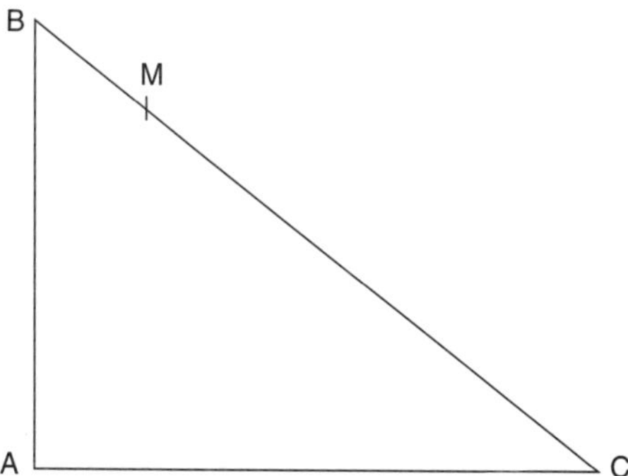

3. Démontrer que AHMK est un rectangle. *1 pt*

Partie A

Dans cette partie, BM = 14.

1. a. En utilisant le théorème de Thalès et ses conséquences dans les triangles BHM et BAC, calculer BH et HM. *1,5 pt*

b. En déduire AH. *0,5 pt*

2. Calculer le périmètre du rectangle AHMK. *1 pt*

Partie B

Dans cette partie, on pose BM = x (x en mm).

1. a. Démontrer que HM = 0,8x. *1 pt*

b. Exprimer BH en fonction de x. *0,5 pt*

En déduire que AH = 42 – 0,6x. *0,5 pt*

2. a. Exprimer le périmètre du rectangle AHMK en fonction de x. *1 pt*
(On donnera le résultat sous la forme développée et réduite.)

b. Calculer la valeur de x pour laquelle HM = AH. *1 pt*

c. Pour la valeur obtenue, préciser la nature de AHMK et calculer son périmètre. *0,5 pt*

Partie C

Dans cette partie, le point M est l'intersection de la bissectrice de l'angle $\widehat{BAC}$ et de la droite (BC).

1. Sur la figure ci-dessous, construire les points M, H et K. *0,5 pt*

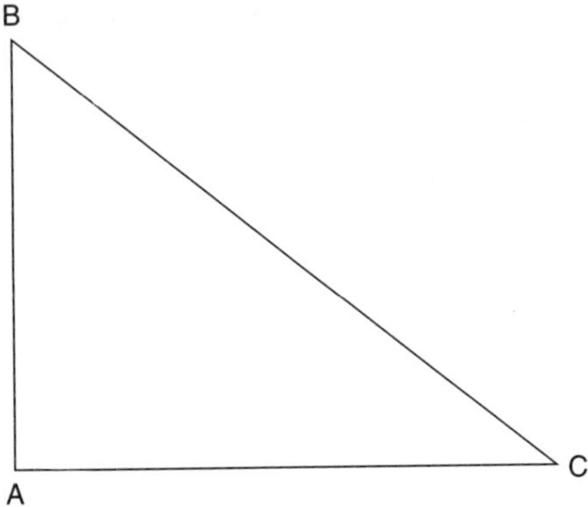

2. Démontrer que AHMK est un carré. *1 pt*

3. Quelle est, dans ce cas, la valeur de BM ? *0,5 pt*

LIMOGES

Juin 1999

- Repérage dans le plan
- Équations de droites
- Milieu d'un segment
- Symétrie centrale
- Calcul de distances
- Quadrilatère particulier
- Translation

PROBLÈME (12 points)

Le plan est muni d'un repère orthonormal (O, I, J). L'unité de longueur est le centimètre.

On appelle A et B les points dont les coordonnées sont :
$A(-1\,;3)$ et $B(-3\,;-1)$.

1. Placer les points A et B dans le repère. *1 pt*

2. Soit (D) la droite d'équation $y = 2x + 5$.

a. Montrer que les points A et B appartiennent à la droite (D). *1 pt*

b. Tracer la droite (D). *1 pt*

3. On appelle M le milieu du segment [AB].

a. Calculer les coordonnées du point M. *1 pt*

b. Déterminer une équation de la droite (OM). *1 pt*

c. On admettra que les droites (OM) et (AB) sont perpendiculaires.

4. Soit C le symétrique du point O par rapport au point M.

a. Montrer, par le calcul, que les coordonnées de C sont $(-4\,;2)$. *1,5 pt*

b. Calculer les distances OC et AB. *2 pts*

c. En déduire la nature du quadrilatère AOBC. Justifier la réponse. *1,5 pt*

5. Construire l'image du quadrilatère AOBC par la translation de vecteur $\overrightarrow{CO}$. *2 pts*

SUJET **60**

NANTES

Juin 1999

- Théorème de Thalès direct et réciproque
- Théorème de Pythagore
- Trigonométrie
- Échelle

PROBLÈME (12 points)

On veut étudier différentes positions d'une chaise inclinable représentée sur le croquis ci-dessous.

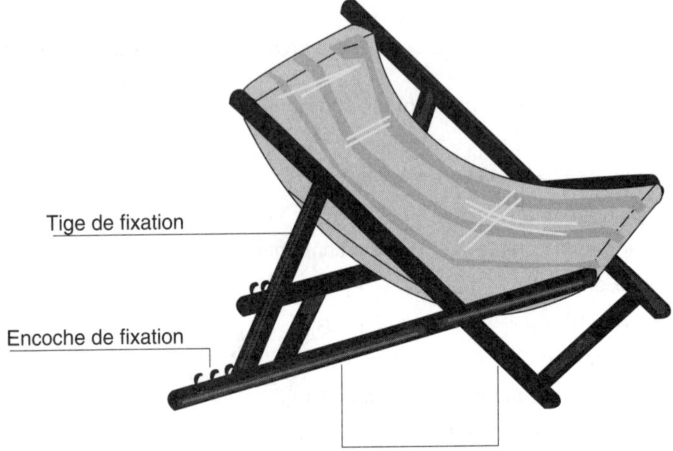

Dans tout le problème, on utilise les notations et les mesures données avec la figure ci-dessous.

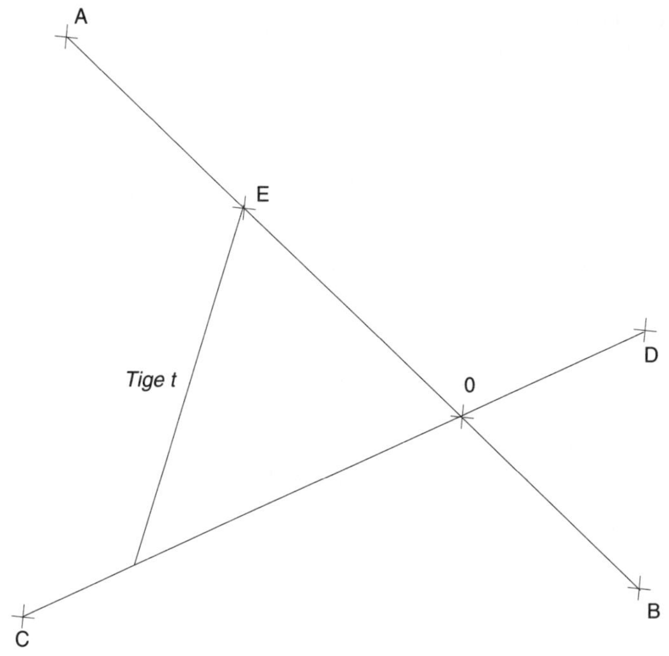

OA = 75 cm ; OB = 35 cm ; OE = 40 cm ; OC = 72 cm ; OD = 28 cm ; tige *t* : 50 cm.

L'extrémité de la tige *t* qui est représentée par le point E est fixe : OE = 40 cm dans tout le problème.

L'autre extrémité de la tige *t* occupe sur [OC] des positions différentes pour chaque question.

1. Étude de la position numéro 1

Dans cette position, la tige *t* est fixée en un point F du segment [OC] tel que :

– les droites (EF) et (AC) sont parallèles ;

– EF = 50 cm.

a. Calculer OF. *2 pts*

b. Les droites (AC) et (BD) sont-elles parallèles ? Justifier la réponse donnée. *2 pts*

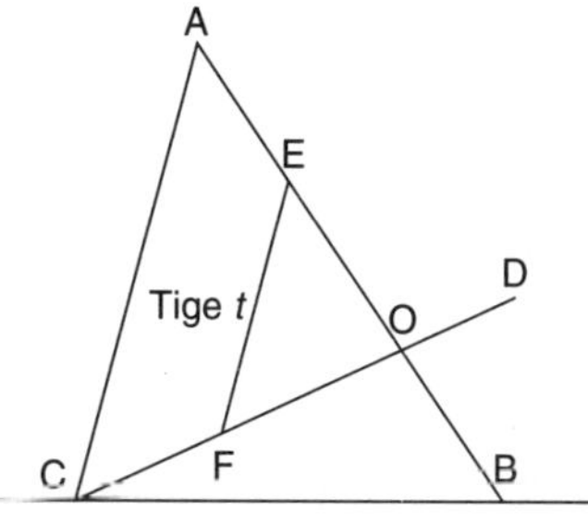

2. Étude de la position numéro 2

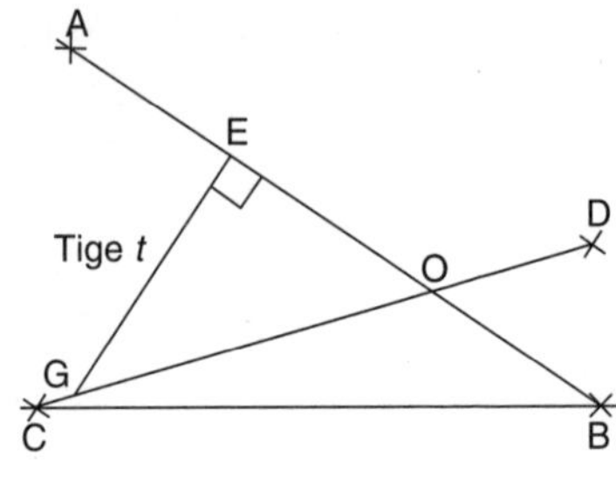

Dans cette position, la tige *t* est fixée en un point G du segment [OC] tel que :

– le triangle OEG est rectangle en E ;

– EG = 50 cm.

a. Calculer OG (arrondir à 1 cm près). **2 pts**

b. Calculer la mesure (arrondie à 1 degré près) de l'angle $\widehat{EOG}$ puis en déduire la mesure (arrondie à 1 degré près) de l'angle $\widehat{EOD}$. **3 pts**

3. Étude de la position numéro 3

Dans cette position, la tige *t* est fixée en un point H du segment [OC] de sorte que l'angle $\widehat{ABC}$ mesure 30°.

Faire à l'échelle 1/10 une figure correspondant à cette position. Marquer le point H. **3 pts**

SUJET **61**

POITIERS

Juin 1999

- Triangle particulier
- Aire d'un trapèze et volume d'une pyramide de base trapézoïdale
- Théorèmes de Pythagore et de Thalès
- Angles particuliers
- Résolution d'une équation du premier degré
- Patron d'une pyramide

PROBLÈME (12 points)

L'unité de longueur est le centimètre.

La figure ci-contre représente un trapèze rectangle ABCD.

On donne AB = 3, AD = 4 et CD = 5.

Les droites (AB) et (CD) sont parallèles.

Les droites (AC) et (BD) se coupent en O.

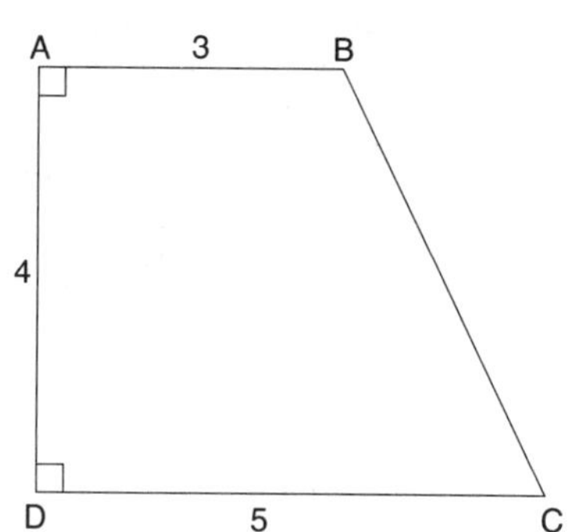

Partie A

1. Reproduire la figure en vraie grandeur. *1 pt*

On pourra commencer la construction au centre d'une feuille de papier millimétré et la compléter au fur et à mesure du problème.

2. Démontrer que le triangle BCD est isocèle. *1 pt*

3. Montrer que l'aire en centimètres carrés du trapèze ABCD est égale à 16. *0,5 pt*

On rappelle que l'aire d'un trapèze de bases B et b, de hauteur correspondante h est égale à $\frac{1}{2}(B + b) \times h$.

4. Montrer que $\frac{OA}{OC} = \frac{OB}{OD}$. *1,5 pt*

5. Les droites (AD) et (BC) se coupent en S. Placer le point S.
Démontrer que les angles $\widehat{CBD}$ et $\widehat{ABS}$ ont même mesure. *1,5 pt*

Partie B

1. a. En posant SA = x, démontrer que $\frac{x}{x+4} = \frac{3}{5}$. *1,5 pt*

b. En déduire la distance SA. *1 pt*

2. Déterminer la valeur arrondie à un degré près de la mesure de l'angle $\widehat{ASB}$. *1 pt*

3. Construire le point B', symétrique du point B par rapport à la droite (AD). *0,5 pt*

Construire le point S', image du point B' par la translation de vecteur $\overrightarrow{BA}$. *0,5 pt*

4. Tracer le segment [S'D].
On considère maintenant la figure comme une partie d'un patron de la pyramide de base ABCD, de sommet S et de hauteur [SA].
Terminer le patron de cette pyramide en prenant soin de coder sur la figure les segments de même longueur, et en admettant que la face SDC est un triangle rectangle en D. *1 pt*

5. Calculer le volume de cette pyramide. *1 pt*

SUJET **62**

RENNES

Juin 1999

- Pourcentages
- Proportionnalité
- Problème d'optimisation
- Tracé de droites
- Lectures graphiques
- Résolution d'une inéquation
- Résolution d'une équation
- Fréquence
- Diagramme semi-circulaire

PROBLÈME (12 points)

En début de saison, une équipe de volley-ball décide de changer de maillots. Sur chaque maillot doit être imprimé un numéro.

Après la consultation de différents catalogues, deux solutions sont retenues.

Option 1 : Le maillot non imprimé est vendu 125 F, prix auquel il faut ajouter 12 % pour l'impression du numéro.

Option 2 : Le maillot non imprimé est vendu 90 F. Les frais d'impression sont de 500 F pour l'ensemble des maillots.

1. Montrer que le prix d'un maillot imprimé dans l'option 1 est 140 F. *0,5 pt*

2. Recopier et compléter le tableau ci-dessous :

Nombre de maillots	6	8	12
Prix des maillots avec l'option 1			
Prix des maillots avec l'option 2			

2 pts

3. On désigne par x le nombre de maillots achetés.

On appelle y_1 le prix de x maillots en choisissant l'option 1.

On appelle y_2 le prix de x maillots en choisissant l'option 2.

a. Exprimer y_1 et y_2 en fonction de x. *1,5 pt*

b. Représenter graphiquement y_1 et y_2 en fonction de x dans un même repère orthogonal. *1 pt*

On prendra pour unités : sur l'axe des abscisses, 1 cm pour 1 maillot ; sur l'axe des ordonnées, 1 cm pour 100 francs ; on placera l'origine du repère en bas et à gauche de la feuille.

4. a. À l'aide du graphique précédent, donner le prix payé pour 5 maillots avec l'option 1 puis avec l'option 2.
Faire apparaître les tracés ayant permis de répondre. *1 pt*

b. Indiquer, toujours à l'aide du graphique, le nombre de maillots que l'on peut acheter avec 1 200 F en choisissant l'option 2. Retrouver ce résultat par le calcul. *1,5 pt*

5. a. Résoudre l'inéquation $140x > 90x + 500$.

b. À partir de combien de maillots est-il plus intéressant de choisir l'option 2 ? *0,5 pt*

c. Comment peut-on retrouver ce résultat sur le graphique ? *0,5 pt*

6. Le club décide d'acheter 20 maillots de différentes tailles.

a. Recopier et compléter le tableau ci-dessous.

Taille	**M**	**L**	**XL**	**Total**
Effectifs	4	10	6	
Fréquence en %				

1,5 pt

b. Construire un diagramme semi-circulaire des effectifs. *2 pts*

SUJET **63**

RENNES - SÉRIE PROFESSIONNELLE

Juin 1999

- Gestion de données
- Mathématisation d'un problème concret
- Liens entre fonctions affines et tracés de droites
- Lecture graphique et interprétation

PROBLÈME (12 points)

Une société achète un véhicule utilitaire pour lequel le constructeur annonce une consommation moyenne de 7,5 L de gazole aux 100 km. Le garage propose deux types de contrats d'entretien :

Contrat A : contrat annuel de 10 000 F comprenant les visites d'entretien tous les 7 500 km.
Le coût du carburant est à la charge du client. Il coûte 5 F le litre.

Contrat B : contrat proportionnel au kilométrage.
1 F le km (carburant et entretien compris).

1. Calculer le prix à payer avec ces deux contrats pour une distance de 10 000 km puis de 20 000 km. *4 pts*

2. Soit x le nombre de km parcourus.
Exprimer : le prix Y_A du contrat A en fonction de x. *2 pts*
le prix Y_B du contrat B en fonction de x. *1 pt*

3. Dans le repère orthonormé ci-après défini ainsi :
– en abscisses : 1 cm représente 2 000 (km) ;
– en ordonnées : 1 cm représente 2 000 (F)
sont représentées les deux droites d'équation respective :
$Y_A = 0{,}375x + 10\,000$;
$Y_B = x$.

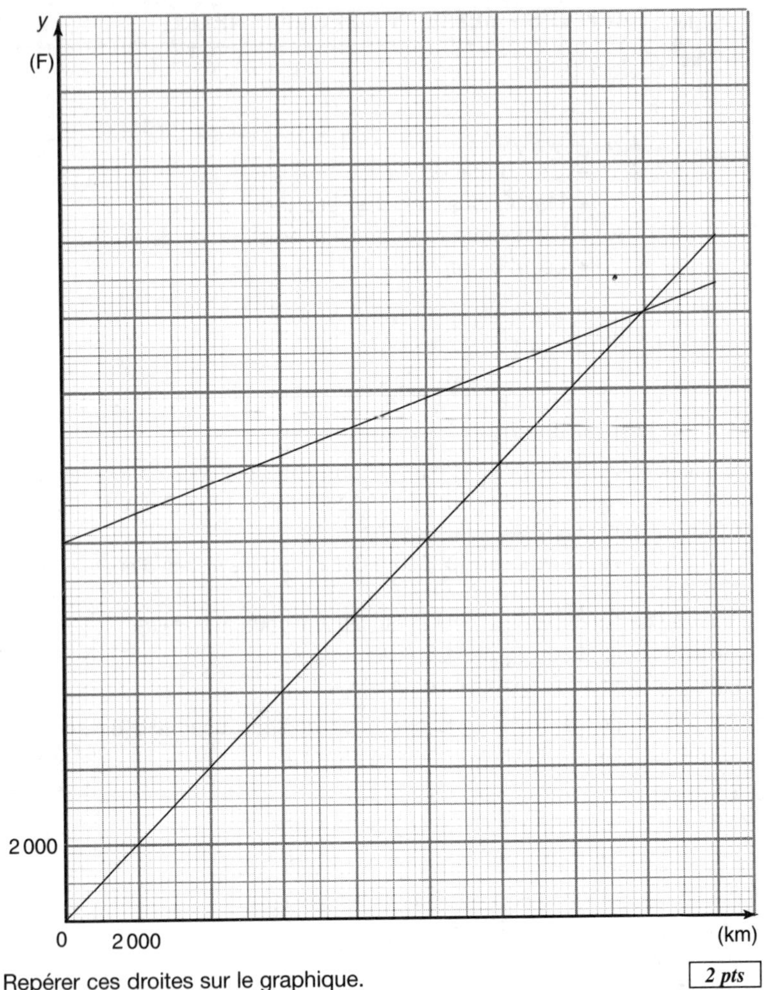

Repérer ces droites sur le graphique. 2 pts

4. Indiquer, en fonction du kilométrage, laquelle des deux solutions est la plus avantageuse. 3 pts

Sessions antérieures

APPLICATIONS AFFINES ET LINÉAIRES

1 LECTURES GRAPHIQUES

Groupe Sud, 1998

- Reconnaissance de représentations graphiques de fonctions affines et linéaires

On donne :

$f(x) = x + 2$; $g(x) = 2$; $h(x) = 2x$.

1. Parmi les quatre droites tracées ci-contre, trois d'entre elles représentent les fonctions f, g et h.
Laquelle représente f ?
Laquelle représente g ?
Laquelle représente h ? *1 pt*

2. Parmi ces fonctions l'une est linéaire, laquelle ? *0,5 pt*

Lesquelles sont affines ? *0,5 pt*

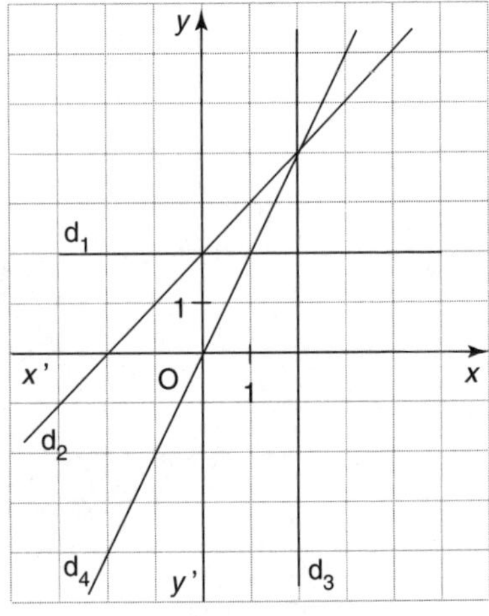

2 APPLICATIONS AFFINES

Rennes, 1995

- Proportionnalité
- Applications affines
- Représentations graphiques
- Lectures graphiques

L'or pur ne peut être utilisé seul en bijouterie à cause de sa malléabilité. Il est donc mélangé à d'autres métaux, comme l'argent ou le cuivre, qui le rendent plus dur. On obtient ainsi l'or jaune (mélange d'or pur et d'argent) et l'or rose (mélange d'or pur et de cuivre).

La valeur de l'or jaune ou de l'or rose est estimée en fonction de la quantité d'or pur qu'il contient. Cette valeur est de 1 carat lorsque le lingot d'or jaune ou rose contient $\frac{1}{24}$ d'or pur. Par exemple, si la valeur d'un lingot d'or jaune ou d'or rose est de 8 carats, cela signifie que ce lingot contient $\frac{8}{24}$ d'or pur.

Un cours récent des métaux indique :
- le gramme d'or pur : 75 F ;
- le gramme d'argent : 25 F ;
- le gramme de cuivre : 0,5 F.

1. Le lingot d'or jaune à 18 carats pèse 50 g.

a. Quelle fraction d'or pur contient ce lingot d'or jaune ? *1 pt*

b. Quelle est la masse d'or pur contenu dans ce lingot ? *1 pt*

c. Quelle est la masse d'argent contenu dans ce lingot ? *1 pt*

d. Quel est le prix de ce lingot ? *1 pt*

2. Un autre lingot d'or jaune a une masse de 24 g.
On désigne par x la masse (exprimée en g) d'or pur contenu dans ce lingot.

a. Montrer que le prix y (exprimé en F) de ce lingot en fonction de la masse x d'or pur qu'il contient est : $y = 50\,x + 600$. *1,5 pt*

b. Représenter graphiquement, pour x compris entre 0 et 24, l'application affine définie par $f(x) = 50\,x + 600$. *1 pt*
Unités :
- sur l'axe des abscisses 1 cm pour 2 g ;
- sur l'axe des ordonnées 1 cm pour 100 F.

3. Un lingot d'or rose a une masse de 24 g.
On désigne par x la masse (exprimée en g) d'or pur contenu dans ce lingot.

a. Montrer que le prix y (exprimé en F) de ce lingot en fonction de la masse x d'or pur qu'il contient est : $y = 74{,}5\,x + 12$. *1,5 pt*

b. Dans le même système d'axes que précédemment, représenter graphiquement, pour x compris entre 0 et 24, l'application affine définie par $g(x) = 74{,}5\,x + 12$. *1 pt*

4. Un lingot d'or jaune et un lingot d'or rose pèsent chacun 24 g.

Utiliser le graphique précédent pour répondre aux questions suivantes :

a. Si ces lingots contiennent chacun 4 g d'or pur, quelle est la différence de prix entre eux ? *1,5 pt*

On utilisera un stylo rouge pour indiquer la réponse sur le graphique et on donnera le résultat par écrit.

b. Si ces lingots valent 1 200 F chacun, quelle est la différence des masses d'or pur qu'ils contiennent ? *1,5 pt*

On utilisera un stylo vert pour indiquer la réponse et on donnera le résultat par écrit.

3 MATHÉMATISATION D'UN PROBLÈME CONCRET

Groupe Est, 1998

- Repérage dans le plan
- Coordonnées d'un vecteur
- Équation de droites
- Droites parallèles

En 1997, le championnat de voile UNSS de la région Bourgogne s'est déroulé au lac des Settons dans la Nièvre.
Le plan est muni d'un repère orthonormal (S, I, J) ; une unité représente 10 km sur chaque axe. S désigne le lac des Settons, D la ville de Dijon, de coordonnées (7,2), N la ville de Nevers de coordonnées (– 7, – 2) et C la ville de Corbigny (dans la Nièvre) de coordonnées (– 3,1).

1. Faire une figure, en plaçant les points S, D, N, C ainsi que les points A(– 4, 7) et M(6, – 9) représentant les villes d'Auxerre et de Mâcon. On complètera cette figure au fur et à mesure du problème. *1 pt*

2. a. Quelles sont les coordonnées des vecteurs $\overrightarrow{NS}$ et $\overrightarrow{SD}$? *2 pts*

b. Montrer que le point S est le milieu du segment [ND]. *1 pt*

3. Montrer que : $ND = 2\sqrt{53}$ et en déduire la distance à vol d'oiseau Nevers-Dijon, arrondie à la dizaine de kilomètres la plus proche. *2 pts*

4. Montrer qu'une équation de la droite (AN) est : $y = 3x + 19$. *1 pt*

5. Déterminer une équation de la droite Δ, contenant le point S et de coefficient directeur $-\frac{1}{3}$. *2 pts*

6. Vérifier, par le calcul, que la droite Δ passe par le point C. *1 pt*

7. En justifiant la réponse :

a. les droites (CS) et (AD) sont-elles parallèles ? *1 pt*

b. la droite (CS) contient-elle le milieu du segment [AN] ? *1 pt*

4 AUTOUR DES FONCTIONS

Poitiers, série technologique, 1998

- Repérage dans le plan
- Représentation de fonction
- Lectures graphiques

Pour les visites d'un musée sur une année, on offre trois propositions :

Proposition A : le plein tarif, 45 francs par entrée.

Proposition B : une carte d'abonnement de 300 francs et seulement 25 francs par entrée.

Proposition C : une carte « Pass » achetée 900 francs, donnant droit à 30 entrées gratuites avec priorité de passage.

1. À l'aide des propositions et du graphique donné ci-après, reproduire et compléter le tableau suivant : *4 pts*

***x* nombre d'entrées dans l'année**	1	10		30
y_A somme totale payée selon la proposition A			900	
y_B somme totale payée selon la proposition B	325			
y_C somme payée selon la proposition C	900			900

2. Exprimer y_A et y_B en fonction de x. *2 pts*

3. Dans le repère orthogonal donné ci-après pour x variant de 1 à 30, représenter la fonction g telle que $g(x) = y_B$. *1 pt*

4. a. Déterminer graphiquement le nombre d'entrées pour lequel les propositions A et B sont équivalentes (le tracé sera apparent). *1 pt*

b. Retrouver par calcul le résultat précédent en résolvant l'équation $y_A = y_B$. *1 pt*

5. Recopier et compléter en utilisant A ou B ou C à la place de ❑.

Pour le visiteur de ce musée, le plus avantageux est :

– la proposition ❑ de 1 à 14 entrées dans l'année ;

– la proposition ❑ de 16 à 23 entrées dans l'année ;

– la proposition ❑ de 25 à 30 entrées dans l'année. *3 pts*

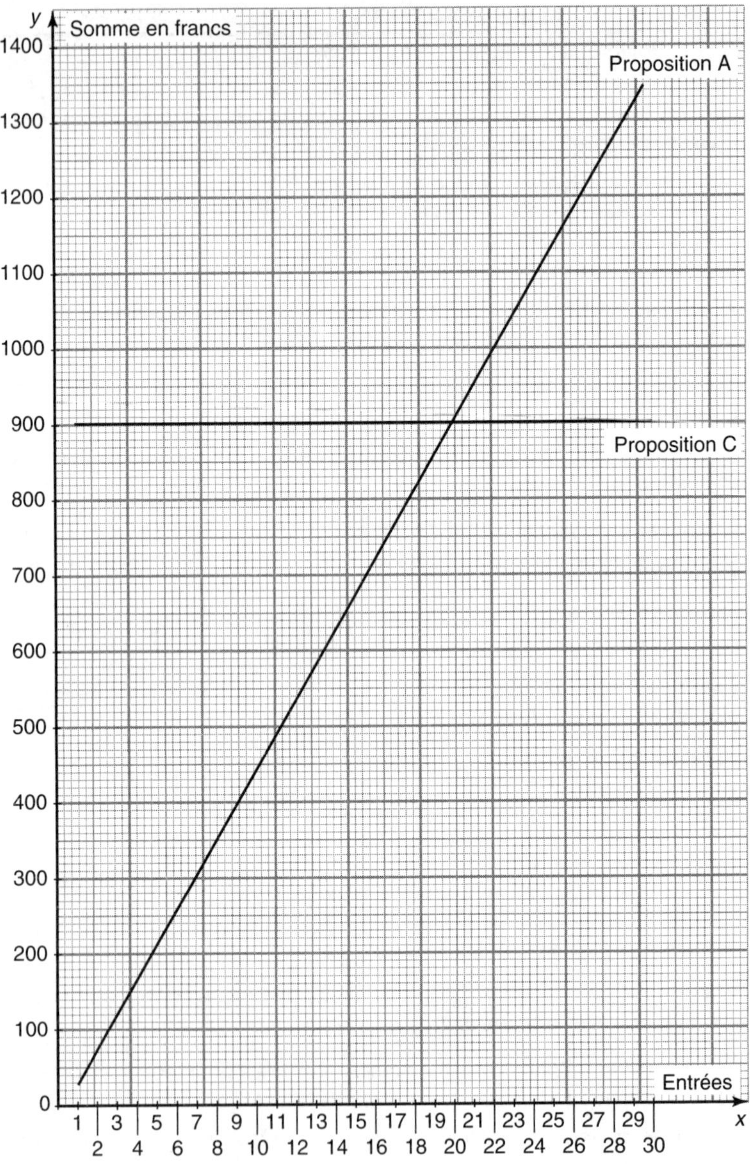
y
Somme en francs
1400
1300
1200
1100
1000
900
800
700
600
500
400
300
200
100
0
Proposition A
Proposition C
Entrées
x
1 3 5 7 9 11 13 15 17 19 21 23 25 27 29
2 4 6 8 10 12 14 16 18 20 22 24 26 28 30

5 ESPACE ET FONCTIONS AFFINES ET LINÉAIRES

Rouen, série collège, 1998

- Volumes d'un pavé droit, d'une pyramide et d'un cylindre
- Représentations graphiques de fonctions linéaire et affine
- Lectures graphiques

Les parties I, II, III sont indépendantes.

Dans tout le problème, les unités employées sont le cm, le cm^2 et le cm^3.

Partie I

On considère le solide représenté ci-contre :
– ABCDEFGH est un pavé droit de base carrée ABCD avec AB = 1,5 cm et de hauteur AE = x cm.
– SEFGH est une pyramide régulière de hauteur 4 cm.
On appelle V_1 le volume du solide représenté ci-contre.

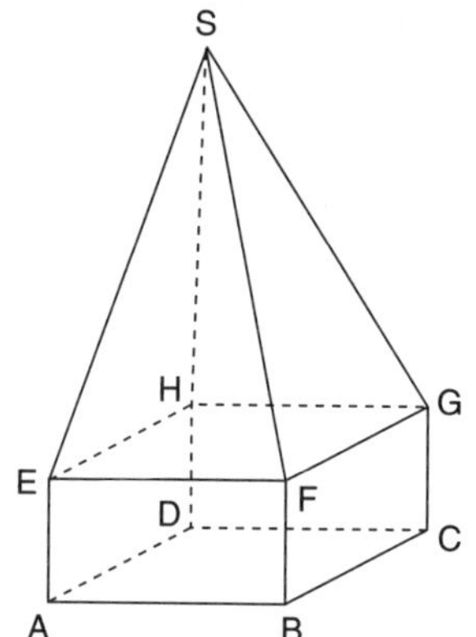

1. Démontrer que $V_1 = 2{,}25x + 3$. 3 pts

2. Le volume V_1 est-il proportionnel à la hauteur x ? Justifier. 1 pt

Partie II

On considère des cylindres dont la base est un disque d'aire 3 cm^2 et dont la hauteur, variable, est notée x. On appelle V_2 le volume d'un tel cylindre.

1. Exprimer le volume V_2 en fonction de x. 2 pts

2. Le volume V_2 est-il proportionnel à la hauteur x ? Justifier. 1 pt

Partie III

1. Dans un repère orthogonal (O, I, J) avec OI = 2 cm, OJ = 1 cm, construire les représentations graphiques des fonctions V_1 et V_2 :

$$V_1 = 2{,}25x + 3 \qquad V_2 = 3x.$$

Pour les questions suivantes, on ne demande aucun calcul ; les réponses doivent être lues graphiquement. Vous devez laisser apparents les pointillés nécessaires à la lecture et donner la réponse sur la copie. 2 pts

2. Déterminer pour quelle valeur de x, $V_1 = 7{,}5$. 1 pt

3. Pour quelle valeur de x, les deux solides ont-ils le même volume ? Quel est ce volume ? 1 pt

4. Pour quelles valeurs de x, V_1 est-il supérieur ou égal à V_2 ? 1 pt

Formulaire :

Solide	Volume
Prisme droit	aire de la base × hauteur
Cône	$\frac{\text{aire de la base} \times \text{hauteur}}{3}$
Cylindre	aire de la base × hauteur
Pyramide	$\frac{\text{aire de la base} \times \text{hauteur}}{3}$

6 MATHÉMATISATION D'UN PROBLÈME CONCRET

Rouen, série professionnelle, 1998

- Proportionnalité
- Tracé d'une droite dans un repère
- Lecture graphique et résolution d'équation

Une voiture consomme 8 litres de carburant aux 100 km en roulant à 90 km/h.

a. Reproduire et compléter le tableau ci-dessous en admettant que la consommation est proportionnelle à la distance parcourue.

Distance en km	100	440		
Consommation en litres			46	50

4 pts

b. Pour un voyage, on fait le plein du réservoir (50 L).

Après avoir parcouru une certaine distance x, la quantité de carburant restant dans le réservoir est égale à $50 - 0{,}08x$.

Représenter graphiquement dans un repère orthogonal la droite dont une équation est $y = 50 - 0{,}08x$. 3 pts

Échelle : en abscisse : 1 cm pour 50 km ;

en ordonnée : 1 cm pour 5 L.

c. En remarquant que y est la quantité de carburant restant dans le réservoir, déterminer graphiquement la distance que l'on peut parcourir avec un plein de carburant. 2 pts

Retrouver ce résultat par le calcul en résolvant l'équation $50 - 0{,}08x = 0$. 2 pts

d. Calculer le prix à payer pour un plein de 50 L sachant que le prix du carburant est de 6,20 F le litre. 1 pt

FACTORISATION - DÉVELOPPEMENT

7 DÉVELOPPEMENT - FACTORISATION

Bordeaux, 1998

- Développements, réductions et factorisations
- Mise en forme de problèmes et résolutions

1. a. Développer et réduire l'expression : $D = (2x + 5)(3x - 1)$. *0,5 pt*

b. Développer et réduire l'expression : $E = (x - 1)^2 + x^2 + (x + 1)^2$. *1 pt*

Application : déterminer trois nombres entiers positifs consécutifs, $(x - 1)$, x et $(x + 1)$ dont la somme des carrés est 4 802. *1 pt*

2. a. Factoriser l'expression : $F = (x + 3)^2 - (2x + 1)(x + 3)$. *1 pt*

b. Factoriser l'expression : $G = 4x^2 - 100$. *0,5 pt*

Application : déterminer un nombre positif dont le carré du double est égal à 100. *1 pt*

8 FACTORISATION

Poitiers, 1998

- Identités remarquables

1. Factoriser : **a.** $9 - 12x + 4x^2$. *1 pt*

b. $(3 - 2x)^2 - 4$. *1 pt*

2. En déduire une factorisation de : $E = (9 - 12x + 4x^2) - 4$. *1 pt*

9 FACTORISATION

Centres étrangers, 1998

- Identité remarquable
- Factorisation

1. Factoriser $D = 4x^2 - 1$. *1 pt*

2. En déduire la factorisation de $E = (4x^2 - 1) + (2x + 1)(x + 3)$. *1 pt*

10 DÉVELOPPEMENT

Poitiers, 1998

- Identité remarquable
- Développement et réduction

Développer et réduire les expressions :

a. $(x + 3)(5x - 7)$. *1,5 pt*

b. $(4x - 1)^2$. *1,5 pt*

11 DÉVELOPPEMENT

D'après Aix - Marseille - Nice, 1993

- Identités remarquables
- Développement

1. Développer $(4x - 3)^2$. *0,5 pt*

2. Recopier et compléter :

$$(3x + \ldots)^2 = \ldots + 6x + 1 \,;$$ *0,5 pt*

$$16x^2 - 25 = (\ldots + 5)(\ldots - 5).$$ *0,5 pt*

12 CALCULS LITTÉRAUX

Poitiers, 1994

- Développement et réduction
- Résolution d'une équation
- Valeur numérique d'une expression littérale

On pose $E = (4x - 3)^2 + 6x(4 - x) - (x^2 + 9)$.

a. Montrer que E est égal au carré de $3x$. *1,5 pt*

b. Trouver les valeurs de x pour lesquelles $E = 144$. *1 pt*

c. Calculer la valeur de E pour $x = \dfrac{\sqrt{3}}{3}$. *1,5 pt*

GRANDEURS COMPOSÉES

13 UTILISATION D'UNE FORMULE

Groupe Est, 1998

- Conversions d'unités
- Grandeur quotient

La distance de freinage d'un véhicule jusqu'à l'arrêt total est donnée par la formule :

$D = \frac{4V^2}{1000K}$

D : distance de freinage en m.
V : vitesse du véhicule en km/h.
K : coefficient d'adhérence de la route.

Calculer la distance de freinage pour qu'un véhicule roulant à 110 km/h sur une route dont le coefficient d'adhérence est 0,25 puisse s'arrêter totalement.

1,5 pt

14 ÉCHELLE ET VITESSE

Texte supplémentaire, 1999

- Calculs de distances
- Conversions d'unités

Un cycliste prépare un voyage pour le lendemain. Il veut quitter la ville A pour aller à la ville B dans laquelle il fera une pause de 2 h 15 min. Puis il veut se rendre à la ville C où il arrivera 25 minutes avant le passage du train de 17 h 35 min qu'il doit prendre pour rentrer.

1. Sachant que sur une carte routière à l'échelle $\frac{1}{200\,000}$ la distance de A à C est 40,5 cm, calculer en km la distance de A à C.

1 pt

2. Sachant que sa vitesse moyenne est 12 km $\times$ h^{-1}, à quelle heure doit-il partir de A ?

2 pts

15 GRANDEURS ET PROPORTIONNALITÉ

Texte supplémentaire, 1999

- Calcul de distance

Une voiture consomme en moyenne 6 L d'essence pour 100 km parcourus.
Le propriétaire de la voiture met 25 L d'essence dans le réservoir.

Il reste au compteur $\frac{1}{4}$ de carburant, quelle distance théorique a été parcourue ? *2 pts*

16 GRANDEUR - PRODUIT

Texte supplémentaire, 1999

- Conversions d'unités

Un fer électrique a une puissance de 1 200 Watts.
Il est utilisé pendant 20 minutes.
Quelle est l'énergie utilisée en kWh ? *1 pt*

17 GRANDEUR - QUOTIENT

Texte supplémentaire, 1999

- Proportionnalité
- Conversions d'unités
- Densités

Une cloche dont le volume est 0,1 m^3 est faite en bronze.
Le bronze est un alliage de cuivre et d'étain.
Pour que les cloches tintent, il faut qu'il y ait entre 20 % et 24 % d'étain.
Pour l'exercice on suppose que la cloche se compose de 24 % d'étain.
On sait que la densité de l'étain est 7,29 et celle du cuivre 8,9.

a. Quel est le volume d'étain dans la cloche et celui du cuivre ? *1 pt*

b. Quelle est la masse de la cloche ? *2 pts*

MATHÉMATISATION DE PROBLÈMES GÉOMÉTRIQUES

18 CALCULS LITTÉRAUX ET AIRES

Groupe Sud, 1998

- Développement et factorisation
- Résolution d'une « équation-produit » et interprétation géométrique d'une des solutions
- Valeur numérique d'une expression

a. Laquelle de ces surfaces hachurées a pour aire : $25 - (x + 3)^2$? *0,5 pt*

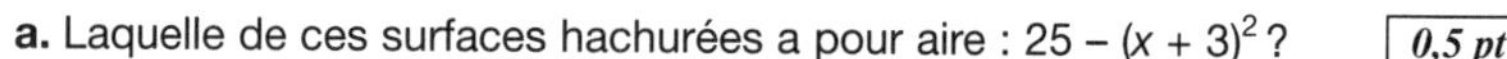

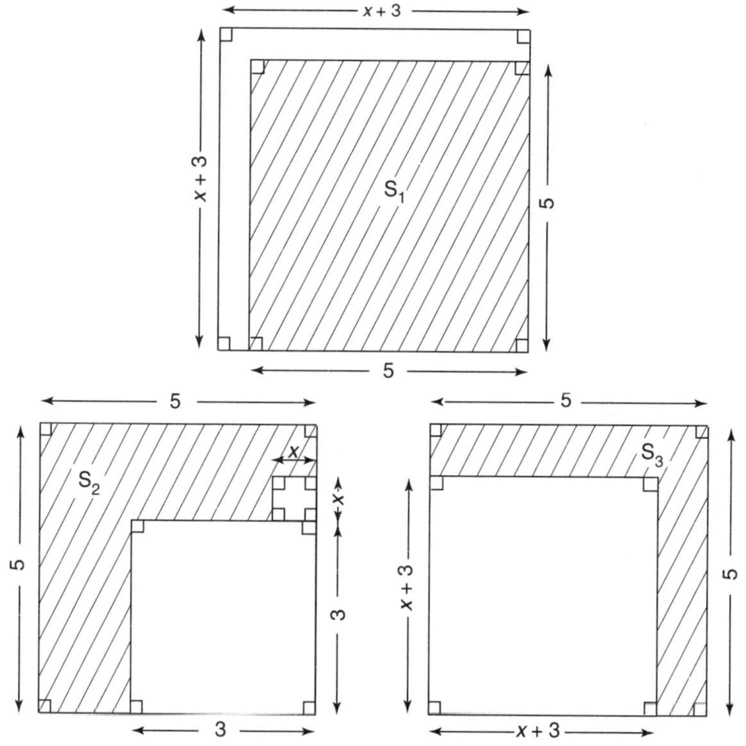

On pose $E = 25 - (x + 3)^2$.

b. Développer et réduire E. *1 pt*

c. Factoriser E. *1 pt*

d. Calculer E pour $x = \sqrt{2}$, puis en donner la troncature à 0,01 près. *1 pt*

e. Résoudre l'équation : $(2 - x)(x + 8) = 0$. *1 pt*

Expliquer, en utilisant la question **a.**, pourquoi l'une des solutions de l'équation était prévisible. *0,5 pt*

19 PÉRIMÈTRE ET SYSTÈME

Limoges, 1998

- Mise en équations d'un problème
- Résolution d'un système

Le périmètre d'un rectangle de longueur x et de largeur y est 140 mm.
En doublant la largeur initiale et en retranchant 7 mm à la longueur initiale, on obtient un nouveau rectangle dont le périmètre est égal à 176 mm.
Quelles sont les dimensions x et y du rectangle initial ? *3 pts*

20 MATHÉMATISATION D'UN PROBLÈME GÉOMÉTRIQUE

Bordeaux, 1997

- Théorème de Thalès, aire d'un trapèze
- Volume d'un prisme droit
- Mathématisation d'un problème géométrique
- Proportionnalité et encadrement

L'unité de longueur est le mètre.

Partie A

Soit un triangle ABC rectangle en A tel que AB = 4 et AC = 5.

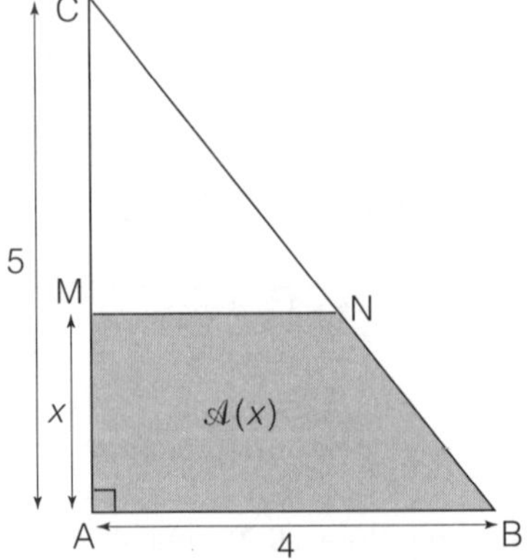

Soit M un point du segment [AC].
On pose AM = x.
La parallèle à la droite (AB) passant par M coupe le segment [BC] en N.

1. a. Entre quelles valeurs peut varier x ? *1 pt*

Quelle est, en fonction de x, la longueur CM ? *1 pt*

b. Démontrer que :
$MN = 4 - 0{,}8x$. *2 pts*

2. Calculer, en fonction de x, l'aire $\mathcal{A}(x)$ du trapèze ABNM. *1 pt*

Partie B

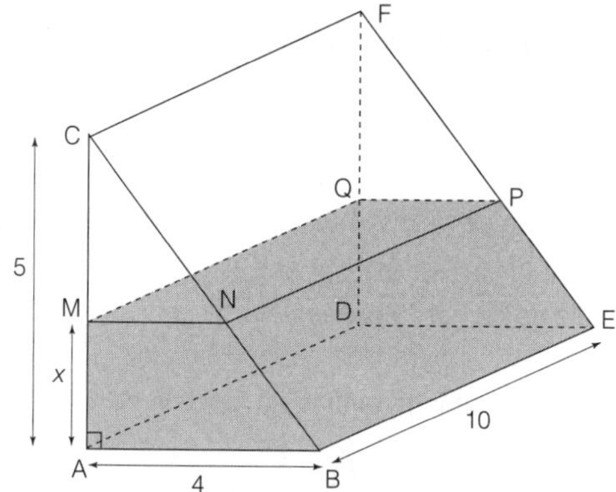

Le schéma ci-dessus représente une citerne posée sur un sol horizontal.
Elle a la forme d'un prisme droit ABCDEF :

- sa base ABC est le triangle décrit dans la partie **A** ;
- BE = 10.

1. Quel est, en mètres-cubes, le volume de la citerne ? *1,5 pt*

2. La citerne contient de l'eau jusqu'au niveau du plan MNPQ comme l'indique le schéma.
x désignant la longueur AM, démontrer que le volume $V(x)$ est égal à $4x(10-x)$. *1,5 pt*

3. Calculer le volume d'eau contenue dans la citerne lorsqu'elle est remplie à mi-hauteur. *1 pt*

4. a. Reproduire et compléter le tableau de valeurs suivant :

x	1	1,4	1,5	1,6	2
$V(x) = 4x(10-x)$					

2 pts

b. En déduire un encadrement à 0,1 près de la hauteur d'eau lorsque la citerne est remplie à la moitié de sa capacité. *1 pt*

21 MATHÉMATISATION D'UN PROBLÈME GÉOMÉTRIQUE

Amérique du Nord, 1997

- Volume d'un cube, d'un parallélépipède rectangle et d'une pyramide
- Tracé de droites et lecture graphique
- Résolution d'une inéquation et d'un système de deux équations à deux inconnues

Partie I

Le solide ci-après est formé d'un cube d'arête 3 cm surmonté d'un parallélépipède rectangle et d'une pyramide.
Soit x la hauteur du parallélépipède rectangle.

1. Calculer le volume V_1 du cube. *1 pt*

2. Exprimer, en fonction de x, le volume V_2 du parallélépipède rectangle. *1 pt*

3. La hauteur totale de ce solide est égale à 10 cm.

a. Calculer la hauteur de la pyramide en fonction de x. *1 pt*

b. Calculer le volume V_3 de la pyramide en fonction de x. 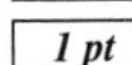

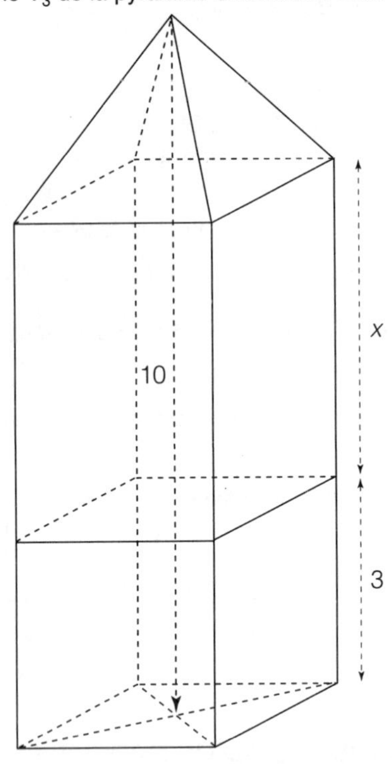

Partie II

Le plan est rapporté à un repère orthogonal (O, I, J).
On utilisera une feuille de papier millimétré en plaçant l'origine O en bas à gauche.
On prendra 2 cm pour une unité sur l'axe des abscisses.
On prendra 1 cm pour 3 unités sur l'axe des ordonnées.

1. Tracer les droites : (D_1) d'équation $y = 27$;
(D_2) d'équation $y = 9x$;
(D_3) d'équation $y = 21 - 3x$. *3 pts*

2. a. Calculer les coordonnées du point K d'intersection des droites (D_2) et (D_3). *1 pt*

b. Pour le solide initial, quelle signification peut-on donner aux coordonnées du point K ? *1 pt*

3. a. Trouver, graphiquement, la valeur de x pour que : $V_1 = V_2$.
(On mettra en évidence les pointillés nécessaires sur le graphique.) *1 pt*

b. Peut-on avoir : $V_1 = V_2 = V_3$? (Justifier.) *1 pt*

4. Pour quelles valeurs de x a-t-on : $V_2 < V_3 < V_1$?
(On utilisera le graphique.) *1 pt*

MISE EN ÉQUATIONS DE PROBLÈMES

22 SYSTÈME DE DEUX ÉQUATIONS

Caen, 1998

- Résolution d'un système

Au cinéma Rex, le prix d'un billet est de 42 F pour un adulte et de 34 F pour un étudiant. 11 personnes assistent à la projection d'un film et paient 430 F.
Parmi ces 11 personnes, combien y a-t-il d'étudiants ? *3 pts*

23 SYSTÈME DE DEUX ÉQUATIONS

Centres étrangers, 1998

- Mise en équations et résolution d'un système

Le directeur d'une colonie de vacances achète des baguettes de pain de 200 g qui coûtent 3 F chacune et des boules de pain de campagne de 400 g qui coûtent 5 F chacune.

Il a acheté au total 9 kg de pain, il a payé 123 F.

Déterminer le nombre de baguettes et le nombre de boules de pain de campagne qui ont été achetées. *3 pts*

24 SYSTÈME DE DEUX ÉQUATIONS

Poitiers, 1998

- Mise en équations d'un problème
- Résolution d'un système

« Devant moi, à la solderie, une personne a acheté 4 draps de bain et 5 gants de toilette. Elle a payé seulement 110 F, alors j'ai pris ce qui restait : 6 draps de bain et 4 gants de toilette ; mais je pense qu'il y une erreur car j'ai payé 172 F », dit une dame.

1. En appelant x le prix d'un drap de bain et y le prix d'un gant de toilette, traduire cette situation par un système de deux équations à deux inconnues.

1 pt

2. Résoudre ce système. *2 pts*

3. La dame a-t-elle raison de penser qu'il y a une erreur ? *1 pt*

25 RÉSOLUTION DE SYSTÈME

Amiens, 1994

- Résolution d'un système de 3 équations à 3 inconnues
- Mise en équation d'un problème

1. Adèle a effectué des calculs et propose, pour le système d'équations :

$$\begin{cases} x+y+z = 40 \\ x-z = 9 \\ z-y = 5 \end{cases}$$

la solution $x = 21$, $y = 7$, $z = 12$.
Vérifiez si la solution d'Adèle est correcte. *1 pt*

2. Bernard doit construire un triangle ABC dont le périmètre mesure 40 cm et tel que :
[AB] soit plus long que [BC] de 9 cm, [AC] soit moins long que [BC] de 5 cm.
Adèle lui dit alors : « J'ai une méthode. Il suffit de dire que x, y et z sont des longueurs de segments, et nous pourrons utiliser le système que je viens de résoudre. »

a. De quels segments pensez-vous que, selon Adèle, x, y et z sont les longueurs ? On justifiera cette idée. *1 pt*

b. Que feriez-vous à la place de Bernard ? *1 pt*

NOMBRES ENTIERS ET RATIONNELS

26 AUTOUR DES FRACTIONS

Rouen, 1998

- Simplification de quotients
- Calculs avec des quotients

Simplifier les fractions suivantes :

$\frac{5 \times 8 \times 2}{2 \times 3 \times 5} =$; $\frac{42}{72} =$; $\frac{120}{360} =$ *1,5 pt*

Calculer en donnant les résultats sous forme de fractions irréductibles :

$\frac{3}{2} + \frac{4}{2} =$; $\frac{8}{5} - \frac{3}{4} =$; $\frac{7}{12} \times \frac{4}{3} =$ *3 pts*

27 CALCULS NUMÉRIQUES ET LITTÉRAUX

Besançon - Lyon - Metz - Nancy - Reims - Strasbourg, 1997

- Sommes et produits de fractions
- Calculs sur les puissances
- Calculs sur les radicaux
- Calcul algébrique
- Résolution d'une « équation-produit »
- Développement et factorisation

L'exercice consiste à déterminer onze nombres entiers.

I. Pour trouver ces nombres, on répondra aux questions suivantes :

A. Calculer, en indiquant les étapes : $3 \times 10^{-4} \times 7 \times 10^{6} \times 1{,}25$. *1 pt*

B. a. Calculer, en indiquant les étapes : $\left(3 - 4 \times \frac{2}{3}\right) : \frac{1}{12}$. *1 pt*

b. Calculer, en indiquant les étapes : $(6\sqrt{2})^2 + 1$. *1 pt*

C. Trouver un nombre entier compris entre 300 et 350 qui soit le carré d'un nombre entier. *1 pt*

D. Le nombre $4\sqrt{5} + \sqrt{245}$ peut s'écrire sous la forme $a\sqrt{5}$.

Calculer le nombre entier a. *1 pt*

E. a. Donner la solution positive de l'équation $x^2 = 576$. *1 pt*

b. Développer et réduire l'expression $E = (3x - 4)^2 - (3x - 5)(3x - 3)$. *1 pt*

F. Résoudre l'équation $(x - 6)(3x - 93) = 0$. *2 pts*

G. Factoriser l'expression $F = (x - 280)^2 - 8^2$.
On trouvera une expression de la forme $(x - b)(x - c)$.
Quel est le plus petit des nombres b et c ? *1 pt*

H. Le nombre N est compris entre 5 300 et 5 400.
Le chiffre des unités de N est égal à celui des dizaines.
La moyenne des chiffres de N est égale à 4.
Déterminer le nombre N. *1 pt*

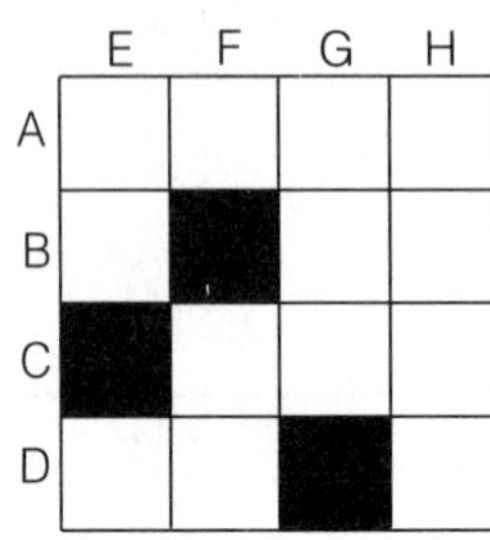

II. Vérifier que l'on peut reporter dans la grille ci-contre :

– horizontalement, les réponses aux questions A, B-a, B-b, C et D ;

– verticalement, les réponses aux questions E-a, E-b, F, G et H.

Reproduire et compléter ainsi cette grille. *1 pt*

28 CALCULS NUMÉRIQUES

Série technologique, 1996

- Écriture fractionnaire
- Inverse d'une fraction

1. Calculer $\frac{1}{5} + \frac{1}{12}$ et donner le résultat sous forme d'une fraction. *1 pt*

2. Pour effectuer des calculs sur des résistances électriques, un électronicien utilise la formule suivante :

$\frac{1}{R} = \frac{1}{R_1} + \frac{1}{R_2}$, où R, R_1 et R_2 sont les valeurs de trois résistances électriques.

Si $R_1 = 5$ Ohms et $R_2 = 12$ Ohms, calculer la valeur exacte de R. *2 pts*

29 ESPACES ET DIVISEURS COMMUNS

Texte supplémentaire, 1999

- PGCD de deux nombres

On veut remplir un carton parallélépipédique dont les dimensions sont 64 cm, 104 cm et 56 cm avec des petites boîtes de forme cubique. On ne veut pas qu'il reste d'espace libre.

1. Calculer l'arête des petites boîtes cubiques. *2 pts*

2. Combien peut-on mettre de petites boîtes dans le carton ? *1 pt*

30 SIMPLIFICATIONS DE RATIONNELS

Texte supplémentaire, 1999

- Critères de divisibilité
- Algorithme d'Euclide

1. Rendre les fractions suivantes irréductibles après avoir reconnu des critères de divisibilité :

$$\frac{180}{210} \text{ et } \frac{240}{105}.$$

2 pts

2. Rendre les fractions suivantes irréductibles après avoir calculé le PGCD par l'algorithme d'Euclide du numérateur et du dénominateur de chacune d'elles :

$$\frac{4\,862}{2\,145} \text{ et } \frac{3\,450}{759}.$$

1,5 pt *1,5 pt*

POURCENTAGES

31 GESTION DE DONNÉES

Limoges, 1998

- Pourcentages

Dans un collège, il y a 575 élèves. Une enquête a permis d'obtenir les renseignements suivants :
• 8 % des élèves viennent au collège en voiture ;
• 92 élèves viennent à pied ;
• $\frac{1}{5}$ des élèves viennent à vélo ;
• les autres élèves viennent en autobus.

1. Combien d'élèves viennent en voiture ? *1,5 pt*

2. Calculer le pourcentage d'élèves qui viennent :
a) à vélo ; b) à pied ; c) en autobus. *1,5 pt*

32 GESTION DE DONNÉES

Nantes, 1998

- Fraction et pourcentage

Dans un établissement scolaire, les $\frac{3}{5}$ des élèves sont des demi-pensionnaires, 30 % des élèves sont des internes et les 72 élèves restants sont des externes.
Calculer le nombre d'élèves inscrits dans cet établissement. *2 pts*

33 POURCENTAGE

Rennes, 1995

- Réduction
- Calculs numériques

Une compagnie d'assurances propose à Monsieur Durand d'assurer son véhicule. Le montant de la prime annuelle d'assurances est de 3 250 F.

Comme Monsieur Durand utilise son véhicule dans le cadre professionnel, son employeur participe aux frais d'assurances en lui versant une indemnité annuelle de 1 170 F.

1. Quel pourcentage de la prime annuelle d'assurances la participation de l'employeur représente-t-elle ? *1 pt*

2. La compagnie d'assurances accorde à Monsieur Durand un « bonus », c'est-à-dire une réduction de 35% sur la prime annuelle d'assurances. Quel est le montant de cette réduction ? *1 pt*

3. Quel est le montant restant à la charge de Monsieur Durand ? *1 pt*

34 RÉDUCTIONS ET POURCENTAGES

Limoges, 1996

- Calcul d'un prix après remise
- Calcul d'un prix avant remise

C'est la période des soldes :

1. J'achète un pull dont le prix est 460 F ; combien vais-je payer ce pull sachant qu'à la caisse on me fera une remise de 20% ? *2 pts*

2. J'achète aussi une chemise que je paie 360 F ; quel était le prix de la chemise avant la réduction de 20% ? *2 pts*

35 CALCULS NUMÉRIQUES

Centres étrangers, 1994

- Pourcentages

Le 1er octobre 1993, le débit de la Durance (la Durance est un affluent du Rhône) était de x m^3 par seconde.
Après une semaine de pluie, le débit augmentait de 30 %.

1. Sachant que le débit était alors de 143 m^3 par seconde, calculer le débit initial x. *1,5 pt*

2. Une semaine après, le débit baissait de 30 %.
Calculer ce dernier débit. *1,5 pt*

PUISSANCES

36 CALCULS NUMÉRIQUES

Bordeaux, 1998

- Calculs avec des quotients, des radicaux et des puissance de dix
- Nombres inverses et opposés

1. Calculer A, B et C (faire apparaître les étapes de chaque calcul et donner les résultats sous la forme la plus simple possible) :

$A = \left(\frac{3}{8}\right)^2 - \frac{1}{8}$; $B = (3 - \sqrt{5})^2 + 2(25 + \sqrt{45})$;

$C = \frac{-2{,}4 \times 10^7 \times 8 \times 10^{-9}}{3 \times 10^{-3}}$. *3 pts*

2. a. Que peut-on dire des nombres A et B ? *0,5 pt*

b. Que peut-on dire des nombres B et C ? *0,5 pt*

37 PUISSANCES DE DIX ET ÉCRITURE DÉCIMALE

Clermont-Ferrand, 1998

- Simplification d'une fraction comportant des puissances de dix

Calculer le nombre suivant et donner le résultat sous la forme $a \times 10^n$, a et n étant des nombres entiers relatifs :

$C = \frac{7 \times 10^{-12} \times 4 \times 10^5}{2 \times 10^{-4}}$.

Donner ensuite l'écriture décimale de C. *2 pts*

38 PUISSANCES DE DIX

Créteil - Paris - Versailles, 1998

- Écriture décimale et scientifique

Calculer en donnant le résultat d'abord en écriture décimale, puis en écriture scientifique :

$C = 153 \times 10^{-4} + 32 \times 10^{-3} - 16 \times 10^{-5}$. *2 pts*

39 CALCULS UTILISANT LES PROPRIÉTÉS DES PUISSANCES

Rouen, 1998

- Calculs avec des puissances de dix

Calculer :

$A = 10^6 \times 10^{-3} \times 0{,}001$;

$B = 0{,}01 \times 10^4 \times 10^{-6} \times 10\,000$. *2 pts*

40 CALCULS NUMÉRIQUES

Nantes, 1994

- Simplification d'un quotient
- Puissances de nombres entiers

a. Écrire sous forme d'une fraction irréductible :

$$C = \frac{\frac{2}{3} - \frac{1}{4}}{\frac{2}{3} + \frac{1}{4}}.$$ *2 pts*

b. Écrire sous forme d'une puissance d'un nombre entier :

$D = (2^2)^3$; *0,5 pt*

$E = 5^4 \times 3^4$. *0,5 pt*

c. On donne $F = 2 \times 10^{-8} \times 3 \times 10^6$.

Écrire F sous la forme du produit d'un entier par une puissance *1 pt*

de dix, puis sans utiliser de puissance de dix. *0,5 pt*

41 CALCULS NUMÉRIQUES

Dijon, 1994

- Écriture scientifique

Écrire en notation scientifique :

D = 0,000 000 000 037 ; 0,5 pt

E = 58 300 000 000 ; 0,5 pt

F = $6,2 \times 10^{25} \times 5 \times 10^{-14}$. 0,5 pt

Q.C.M.

42 CALCULS NUMÉRIQUES

Amiens, 1998

- Calculs avec des puissances, des fractions et des radicaux
- Résolution d'une équation du premier degré

Pour chaque ligne du tableau ci-dessous, trois réponses sont proposées, désignées par les nombres 1, 2 et 3, mais une seule est exacte.
Écrire dans la colonne de droite le nombre correspondant à la bonne réponse.

		Réponse 1	Réponse 2	Réponse 3	Réponse choisie : indiquer l'une des lettres 1, 2 ou 3	
A	16×10^{-4} est égal à :	0,1600	0,0016	160 000		0,5 pt
B	$\frac{5}{3} - \frac{2}{6} + 1$ est égal à :	$\frac{4}{3}$	$\frac{8}{6}$	$\frac{7}{3}$		0,5 pt
C	L'équation $\frac{x}{2} = \frac{4}{5}$ a pour solution :	$\frac{8}{5}$	$\frac{10}{4}$	2		0,5 pt
D	$\sqrt{75} \times \sqrt{48}$ est égal à :	1 800	60	$20\sqrt{3}$		0,5 pt
E	$\sqrt{32}$ est égal à :	$16\sqrt{2}$	$8\sqrt{2}$	$4\sqrt{2}$		0,5 pt

43 CALCULS NUMÉRIQUES

Aix - Marseille, 1991

- Calculs littéraux sur les puissances, les fractions, les radicaux
- Priorités opératoires
- Égalités remarquables
- Pourcentage
- Factorisation

Attention, le barème de cet exercice est le suivant (total : 6 points) :
- *0,75 point par bonne réponse ;*
- *– 0,25 point pour une réponse fausse ;*
- *0 point s'il n'y a pas de réponse.*

Trouvez la réponse parmi les trois proposées.
Écrivez le numéro de la réponse dans la dernière case.

		1	2	3	
A	$\frac{1}{6}+\frac{1}{9}$ est égal à :	$\frac{2}{15}$	0,277	$\frac{5}{18}$	
B	$1-\frac{3}{2}\times\frac{2}{9}$ est égal à :	$\frac{2}{3}$	$-\frac{1}{9}$	$-\frac{5}{18}$	
C	$(1+2)^2$ est égal à :	1^2+2^2	1^3+2^3	6	
D	$\sqrt{4+16}$ est égal à :	10	6	$2\sqrt{5}$	
E	$\sqrt{8}-\sqrt{2}$ est égal à :	$\sqrt{2}$	$\sqrt{6}$	1,41	
F	Pour tout nombre x, $(2x-3)^2$ est égal à :	$2x^2-12x+9$	$4x^2-9$	$4x^2-12x+9$	
G	Pour tout nombre x, x^2-100 est égal à :	$(x-10)(x+10)$	$(x-10)^2$	$(x-50)^2$	
H	Un objet coûtant 127 F augmente de 5 %. Le nouveau prix est alors de :	132 F	127,05 F	133,35 F	

44 REPÉRAGE

D'après Orléans - Tours, 1991

- Coordonnées d'un vecteur et du milieu d'un segment
- Calculs de distances
- Équations de droites

Remplir le tableau.

Pour chaque ligne du tableau ci-dessous, trois réponses sont proposées, mais une seule est exacte.

Écrire le numéro de la réponse exacte dans la colonne de droite.

Attention, le barème de cet exercice est le suivant (total : 6 points) :

- *1 point pour une bonne réponse ;*
- *– 0,5 point pour une réponse fausse ;*
- *0 point s'il n'y a pas de réponse.*

	On donne A (2 ; –4) et B (–2 ; 8)	**Réponse numéro 1**	**Réponse numéro 2**	**Réponse numéro 3**	**N° de la réponse choisie**
A	Le milieu du segment [AB] a pour coordonnées	(0 ; 2)	(–2 ; 6)	(–4 ; –4)	
B	Le vecteur $\overrightarrow{AB}$ a pour coordonnées	(–4 ; 12)	(0 ; 4)	(–4 ; –32)	
C	La droite (AB) a pour équation	$y = \frac{1}{3}x + 5$	$y = -2x$	$y = -3x + 2$	
D	La distance de A à B est	14	$\sqrt{160}$	$\sqrt{-128}$	
E	Dans ce repère, une parallèle à la droite (AB) a pour coefficient directeur	–3	–2	$\frac{1}{2}$	

45 CALCULS NUMÉRIQUES

Nantes, 1991

- Calculs littéraux sur les puissances, sur les radicaux
- Résolution d'équations et d'inéquations
- Pourcentage

Pour cet exercice utiliser le tableau qui suit.

Dans le tableau suivant, on propose six débuts de phrases, et pour chacun d'eux trois propositions pour terminer la phrase. Dans chaque cas, entourer la proposition qui permet d'énoncer une affirmation vraie. (Dans chaque cas une seule proposition convient.)

Attention, le barème de cet exercice est le suivant (total : 6 points) :

- *1 point pour une bonne réponse ;*
- *– 0,5 point pour une réponse fausse ;*
- *0 point s'il n'y a pas de réponse.*

A Le nombre $5 \,.\, 10^{-3}$ s'écrit encore :	50^{-3}	$-5\,000$	0,005
B Une expression factorisée de $9x^2 - 169$ est :	$(9x-13)(9x+13)$	$(3x-13)^2$	$(3x-13)(3x+13)$
C Un article vaut x francs. Cet article augmente de 5 % ; son nouveau prix est :	$\frac{5x}{100}$	$\frac{100x}{5}$	$\frac{105x}{100}$
D Le nombre $(3-\sqrt{2})^2$ s'écrit encore :	7	$11-6\sqrt{2}$	$(-3\sqrt{2})^2$
E Une solution de l'équation $3x^2 - 5x + 2 = 0$ est :	-1	$\frac{2}{3}$	$\frac{7}{3}$
F Les solutions de l'inéquation $4x + 1 \geqslant 7x - 5$ sont :	Tous les nombres inférieurs ou égaux à 2.	Tous les nombres supérieurs ou égaux à 2.	Tous les nombres inférieurs ou égaux à – 2.

46 CALCULS LITTÉRAUX ET NUMÉRIQUES

Orléans - Tours, 1993

- Calculs sur les radicaux
- Identités remarquables
- Résolution d'équations et d'inéquations

Pour chaque ligne du tableau ci-après, trois réponses sont proposées, mais une seule est exacte.
Écrire le numéro de la réponse exacte dans la colonne de droite.

Attention, le barème de cet exercice est le suivant (total : 6 points) :

- *0,75 point pour une bonne réponse ;*
- *– 0,5 point pour une réponse fausse ;*
- *0 point s'il n'y a pas de réponse.*

		Réponse numéro 1	**Réponse numéro 2**	**Réponse numéro 3**	**N° de la réponse choisie**
A	$(3\sqrt{2})^2 =$	6	12	18	
B	$\sqrt{80} =$	40	$4\sqrt{5}$	$20\sqrt{2}$	
C	Si $x = \sqrt{5}$ alors $x^2 + 3x - 1 =$	$4 + 3\sqrt{5}$	$7\sqrt{5}$	$24 + 3\sqrt{5}$	
D	$\left(x + \frac{1}{3}\right)^2 =$	$x^2 + \frac{1}{9}$	$x^2 + \frac{2}{3}x + \frac{1}{9}$	$x^2 + 2x + \frac{1}{9}$	
E	$x^2 - 36 =$	$(x-6)^2$	$(x+6)^2$	$(x-6)(x+6)$	
F	$(3x+2)(x-5) =$	$3x^2 - 10$	$3x^2 + 17x - 10$	$3x^2 - 13x - 10$	
G	L'équation $-2x - 9 = 0$ a pour solution :	$\frac{9}{2}$	$-\frac{9}{2}$	$\frac{2}{9}$	
H	La représentation graphique des solutions de l'inéquation $x - 5 \leqslant 3x - 4$ est : (ce qui est rayé ne convient pas)	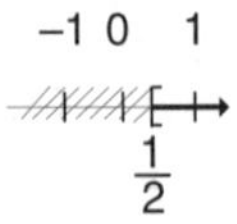	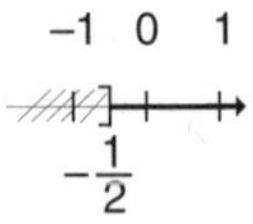	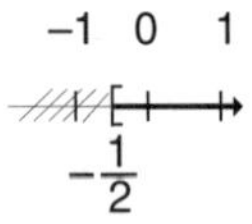	

CALCULS NUMÉRIQUES

Orléans - Tours, 1990

- Calculs sur les fractions, calculs littéraux
- Résolution d'équations et d'inéquations
- Aire d'un carré

Pour chaque ligne du tableau ci-après, 3 réponses sont proposées, mais une seule est exacte.

Écrire le numéro de la réponse exacte dans la colonne de droite.

Attention, le barème de cet exercice est le suivant (total : 6 points) :

- *1 point pour une bonne réponse ;*
- *– 0,5 point pour une réponse fausse ;*
- *0 point s'il n'y a pas de réponse.*

		Réponse 1	**Réponse 2**	**Réponse 3**	**Numéro de la réponse choisie**
A	$\left(\frac{3}{14} - \frac{2}{7}\right) \times \frac{1}{2}$ est égal à :	$-\frac{1}{28}$	$\frac{1}{28}$	$\frac{1}{14}$	
B	Les solutions de l'équation $(x - 4)(2x + 7) = 0$ sont :	4 et $-\frac{7}{2}$	4 et $\frac{2}{7}$	0 et $\frac{7}{2}$	
C	$\left(x - \frac{7}{2}\right)^2$ est égal à :	$x^2 - \frac{49}{4}$	$x^2 - 7x + \frac{49}{4}$	$x^2 - 7x - \frac{49}{4}$	
D	La partie en gras représente les solutions de $7x - 5 \leqslant 4x + 1$	0 2	0 2	0 2	
E	L'expression factorisée de $9x^2 - 169$ est :	$(9x - 13) \times (9x + 13)$	$(3x - 13)^2$	$(3x - 13) \times (3x + 13)$	
F	Le côté d'un carré est multiplié par 1,2 ; son aire est multipliée par :	$1{,}2 \times 4$	$(1{,}2)^2$	1,2	

48 CALCULS NUMÉRIQUES ET RADICAUX

Orléans-Tours, 1997

- Calculs sur les fractions
- Puissances de dix
- Sommes de radicaux
- Identité remarquable

Pour chaque ligne du tableau ci-dessous, trois réponses sont proposées, désignées par les lettres A, B et C, mais une seule est exacte.
Écrire dans la colonne de droite la lettre correspondant à la réponse exacte.

Attention, le barème est le suivant :

- *0,75 point pour une bonne réponse ;*
- *– 0,5 point pour une réponse fausse ;*
- *0 point s'il n'y a pas de réponse.*

		Réponse A	**Réponse B**	**Réponse C**	**Réponse choisie Indiquer l'une des lettres A, B ou C**
1	$3 \times \frac{7}{2} - \frac{3}{2}$	3	9	6	
2	$\frac{10^{-2} + 10^2}{10^2}$	0,1	1,0001	0,01	
3	$\sqrt{64} + \sqrt{36}$	14	50	10	
4	$\left(x - \frac{1}{2}\right)^2$	$x^2 - \frac{1}{4}$	$x^2 + \frac{1}{4}$	$x^2 - x + \frac{1}{4}$	

RADICAUX

49 CALCULS NUMÉRIQUES

Amérique du Sud, 1997

- Sommes de radicaux
- Identité remarquable et radicaux

On donne :

$A = \sqrt{12} + 5\sqrt{75} - 2\sqrt{27}$; $B = (5 + \sqrt{3})^2 - (2\sqrt{7})^2$.

Écrire A sous la forme $a\sqrt{3}$ et B sous la forme $b\sqrt{3}$ où a et b sont deux entiers relatifs.

1,5 pt *1,5 pt*

50 CALCULS NUMÉRIQUES

Centres étrangers, 1998

- Sommes de radicaux puis quotient

On considère les nombres :

$C = 2\sqrt{27} - 2\sqrt{3} + \sqrt{12}$ et $D = \sqrt{75} + \sqrt{48} - 7\sqrt{3}$.

Montrer, en détaillant le calcul, que $\frac{C}{D}$ est un nombre entier.

2,5 pts

51 CALCULS NUMÉRIQUES

Centres étrangers, 1998

- Calculs sur les radicaux
- Identité remarquable

Soit $B = (2\sqrt{3} - 1)^2$.

Écrire B sous la forme $a + b\sqrt{3}$ où a et b sont des entiers relatifs.

2 pts

52 CALCULS NUMÉRIQUES

Nantes, 1998

- Calculs sur les radicaux
- Identité remarquable

1. Écrire $\sqrt{75}$ sous la forme $a\sqrt{3}$, où a désigne un nombre entier. *1 pt*

2. Calculer $(\sqrt{3}-1)^2$. Mettre le résultat sous la forme $x + y\sqrt{3}$, où x et y désignent deux nombres entiers. *1 pt*

53 CALCULS NUMÉRIQUES

Limoges, 1994

- Radicaux
- Carrés des nombres

x désigne un nombre positif ; refaire et compléter le tableau, en donnant les valeurs sous forme de fractions irréductibles.

x	$\frac{9}{25}$			*1 pt*
$\sqrt{x}$		$\frac{7}{2}$		*1 pt*
x^2			$\frac{16}{81}$	*1 pt*

54 CALCULS ÉLÉMENTAIRES SUR LES RADICAUX

Poitiers, 1993

- Identités remarquables
- Théorème de Pythagore

On pose : $a = \sqrt{3}\,(1+\sqrt{6})$ et $b = 3-\sqrt{6}$.

a. Calculer a^2, b^2 et $a^2 + b^2$. Reconnaître que $a^2 + b^2$ est un nombre entier.
1 pt *0,5 pt* *0,5 pt*

b. Si a et b sont les longueurs des côtés de l'angle droit dans un triangle rectangle, quelle est la longueur de l'hypoténuse ? *1,5 pt*

RÉSOLUTION D'ÉQUATIONS ET D'INÉQUATIONS

55 AUTOUR DU PREMIER DEGRÉ

Centres étrangers, 1998

- Équation se ramenant au premier degré
- Inéquation du premier degré

1. Résoudre l'équation : $x^2 - 9 = 0$. *1,5 pt*

2. Résoudre l'inéquation : $2(x - 5) < 5x - (x - 4)$. *1,5 pt*

56 AUTOUR DU PREMIER DEGRÉ

Groupe Est, 1998

- Résolution d'équations du premier degré à une inconnue

Calculer x dans les équations suivantes :

a. $5x = 62,5$. *1 pt*

b. $x - 13,5 = 30$. *1 pt*

c. $\frac{x}{3} = \frac{27}{2}$. *1 pt*

57 AUTOUR DU PREMIER DEGRÉ

Poitiers, 1998

- Résolution d'équations du premier degré à une inconnue

Résoudre les équations :

a. $2x - 1 = 7$. *1 pt*

b. $4x - 9 = 6x + 3$. *1 pt*

58 RÉSOLUTION D'ÉQUATIONS ET D'INÉQUATION

Centres étrangers, 1997

- « Équation-produit »
- Équation du second degré
- Inéquation du premier degré à une inconnue

Résoudre les équations ou inéquations :

a. $x(2x - 7) = 0$. *1 pt*

b. $4x^2 = 100$. *1 pt*

c. $\frac{5x + 1}{6} > \frac{3x - 3}{8}$. *1,5 pt*

59 ÉQUATIONS ET INÉQUATIONS DU PREMIER DEGRÉ

Limoges, 1997

- Calcul numérique
- Solution et résolution d'une inéquation du premier degré

Soit $A = \frac{3x-2}{4}$.

1. Calculer A pour $x = \frac{7}{3}$. *1 pt*

Le nombre $\frac{7}{3}$ est-il solution de l'inéquation $\frac{3x-2}{4} < 2$? *0,5 pt*

2. Résoudre l'inéquation $\frac{3x-2}{4} < 2$. *1,5 pt*

60 RÉSOLUTION D'INÉQUATIONS

Amiens, 1997

- Solutions d'une inéquation
- Résolution d'une inéquation

a. Recopier sur votre copie les nombres donnés ci-dessous et entourer ceux qui sont solutions de l'inéquation $1 - 5x \leqslant 21$:
0 ; – 7 ; 4 ; – 4. *1 pt*

b. Résoudre l'inéquation $3x - 2 \geqslant x - 4$. *1 pt*

Représenter graphiquement, sur une droite graduée, les solutions de cette inéquation (hachurer la partie qui ne convient pas). *0,5 pt*

SYSTÈMES D'ÉQUATIONS ET D'INÉQUATIONS

61 SYSTÈME D'INÉQUATIONS

Rouen, 1998

- Résolution d'un système d'inéquations et représentation des solutions

Résoudre le système d'inéquations :

$$\begin{cases} x + 8 \geqslant 3x \\ x + 2(x + 1) \geqslant 4. \end{cases}$$

2 pts

Représenter les solutions sur une droite graduée, en indiquant clairement sur quelle partie de la droite graduée se trouvent les solutions. *1 pt*

62 SYSTÈME D'ÉQUATIONS

Asie, 1998

- Résolution d'un système
- Mise en équations d'un problème et solution

1. Résoudre le système : $\begin{cases} 5x + 7y = 1120 \\ x + y = 180. \end{cases}$ 2 pts

2. Un groupe de 24 adolescents fait un stage de deux jours dans une école de voile. Deux activités sont au programme : planche à voile ou mini catamaran.
Le 1er jour, 10 jeunes choisissent la planche à voile et les autres le catamaran. La facture totale de ce 1er jour s'élève à 2 240 F.
Le 2e jour, ils sont 12 à choisir la planche à voile et les autres font du catamaran. La facture de ce 2e jour est de 2 160 F.
Quel est le prix par personne d'une journée de planche à voile et celui d'une journée de catamaran ? 2 pts

63 MISE EN INÉQUATIONS D'UN PROBLÈME

Bordeaux, 1994

- Résolution d'un système d'inéquations

Une entreprise de menuiserie fabrique 150 chaises par jour ; elle produit deux sortes de chaises, les unes vendues 250 F pièce, les autres 400 F pièce. On désigne par x le nombre de chaises à 250 F fabriquées chaque jour.

a. Exprimer en fonction de x le nombre de chaises à 400 F. 1 pt

b. L'entreprise souhaite que le montant des ventes soit strictement supérieur à 48 450 F par jour et elle veut fabriquer plus de chaises à 250 F que de chaises à 400 F.
Combien doit-elle fabriquer de chaises à 250 F par jour ? 3 pts

64 POURCENTAGES

Bordeaux, 1996

- Résolution d'un système
- Écriture algébrique d'un prix réduit

1. Résoudre le système suivant, d'inconnues x et y :

$$\begin{cases} x + y = 35 \\ 8x + 7y = 260. \end{cases}$$

1,5 pt

2. Si x désigne le prix d'un article, exprimer en fonction de x le prix de cet article après une baisse de 20 %. *0,5 pt*

3. Pour l'achat d'un livre et d'un stylo, la dépense est de 35 F. Après une réduction de 20 % sur le prix du livre et de 30 % sur le prix du stylo, la dépense n'est que de 26 F.
Calculer le prix d'un livre et celui d'un stylo avant la réduction. *2 pts*

65 GESTION DE DONNÉES

Paris - Créteil, 1992

- Calcul de moyenne
- Mise en équations d'un système et résolution

Les notes suivantes ont été écrites dans l'ordre croissant :

$$x\ ;\ 4\ ;\ 6\ ;\ 7\ ;\ 10\ ;\ 11\ ;\ 13\ ;\ 14\ ;\ 15\ ;\ y.$$

On sait que la moyenne est 10 et que la différence entre la plus haute et la plus basse des notes est 16. Calculer les notes x et y. *3 pts*

66 RÉSOLUTION DE SYSTÈME DE DEUX ÉQUATIONS DU PREMIER DEGRÉ

Nice - Montpellier - Toulouse, 1991

- Repérage
- Équation de droite

Le plan est muni d'un repère orthonormal (O, I, J).
Unité : le centimètre.

1. Placer les points A (3 ; 0) ; B (– 1 ; 8). 0,5 pt

2. Chercher l'équation de la droite (AB). 1 pt

3. a. Construire la droite Δ d'équation $y = \frac{1}{2}x + \frac{7}{2}$. 0,5 pt

b. Montrer que le point C (– 5 ; 1) est sur la droite Δ et le placer. 0,5 pt

4. Résoudre le système $\begin{cases} y = -2x + 6 \\ y = \frac{1}{2}x + \frac{7}{2}. \end{cases}$ 1 pt

67 SYSTÈME DE DEUX ÉQUATIONS

Centres étrangers - Moyen-Orient, 1995

- Résolution d'un système
- Interprétation de la solution d'un système

Un bassin est alimenté par deux fontaines dont le débit horaire est constant.
Si on laisse couler la première fontaine pendant quatre heures et la seconde pendant trois heures, la quantité d'eau recueillie au total est de 55 litres.
Si on laisse couler la première fontaine pendant trois heures et la seconde pendant quatre heures, la quantité d'eau recueillie au total est de 57 litres.

1. On désire calculer le débit, en litre par heures, de chacune des fontaines.
Pour cela, on admet que les renseignements précédents sont traduits par le système de deux équations à deux inconnues :

$$\begin{cases} 4x + 3y = 55 \\ 3x + 4y = 57 \end{cases}$$

2,5 pts

où x est le débit horaire de la première fontaine et y est le débit horaire de la seconde fontaine.
Résoudre le système et indiquer le débit horaire de chacune des deux fontaines.

2. Sachant que ce bassin peut contenir 320 litres, combien faudra-t-il de temps pour le remplir, si les deux fontaines coulent ensemble pendant le même temps ? 1,5 pt

STATISTIQUES

68 GESTION DE DONNÉES

Asie, 1998

- Diagramme circulaire
- Pourcentage

Au cours d'un recensement, on a étudié, dans une ville, le nombre de familles habitant une maison individuelle ou un appartement.
On a obtenu les résultats suivants :

Catégorie de logement	un appartement	une maison de quatre pièces ou plus	une maison de moins de 4 pièces
Nombre de familles	1 480	4 290	1 430

1. Traduire ces résultats par un diagramme circulaire. *3 pts*

2. Quel est le pourcentage de familles habitant une maison de 4 pièces ou plus parmi les familles qui habitent une maison individuelle ? *1 pt*

69 GESTION DE DONNÉES

Centres étrangers, 1998

- Effectifs cumulés
- Histogramme
- Pourcentage

À l'occasion d'un contrôle de fabrication, on a pesé 25 boîtes de conserve à la sortie d'une chaîne de remplissage. On a obtenu les masses suivantes (en grammes) :
101 - 95 - 97 - 101 - 99 - 103 - 93 - 97 - 106 - 100 - 97 - 104 - 95 - 105 - 103 - 97 - 100 - 106 - 94 - 99 - 101 - 92 - 104 - 102 - 103.

1. Compléter le tableau suivant, où x désigne la masse (en grammes). *2 pts*

Masse en grammes	$92 \leqslant x < 95$	$95 \leqslant x < 98$	$98 \leqslant x < 101$	$101 \leqslant x < 104$	$104 \leqslant x < 107$
Effectifs					
Effectifs cumulés croissants					

2. Compléter l'histogramme des effectifs de cette série statistique : *1,5 pt*

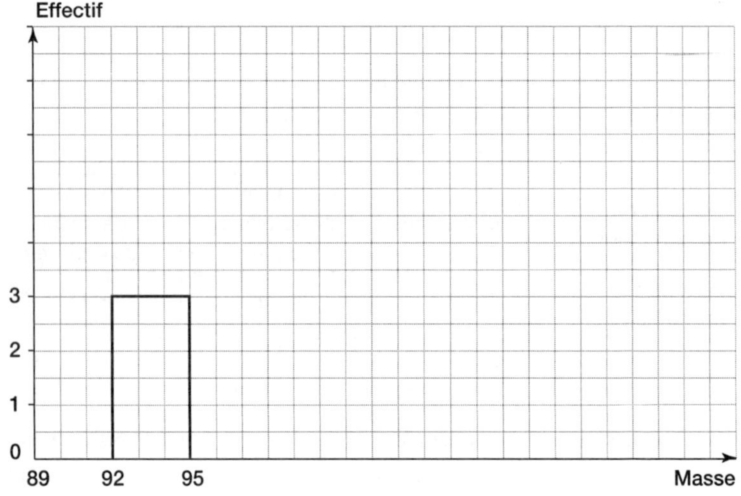

3. Quel est le pourcentage du lot de ces 25 boîtes qui ont une masse strictement inférieure à 101 grammes ? *1 pt*

70 EXPLOITATION D'UN TABLEAU À DOUBLE ENTRÉE

Lille, 1998

- Fréquences
- Diagramme semi-circulaire

On a répertorié les loisirs de 28 élèves d'une classe de 3e en 5 catégories et on les a reportés dans le tableau ci-après.

1. Compléter le tableau ci-après (les fréquences seront arrondies au dixième près et les angles au degré près). *3 pts*

Loisirs	Sport	Télévision	Lecture	Musique	Informatique	Total
Effectif	7	8	3	4	6	28
Fréquence (%)	25			14,3		100
Angle (°)	45	51			39	180

2. Compléter le diagramme semi-circulaire ci-dessous. *2 pts*

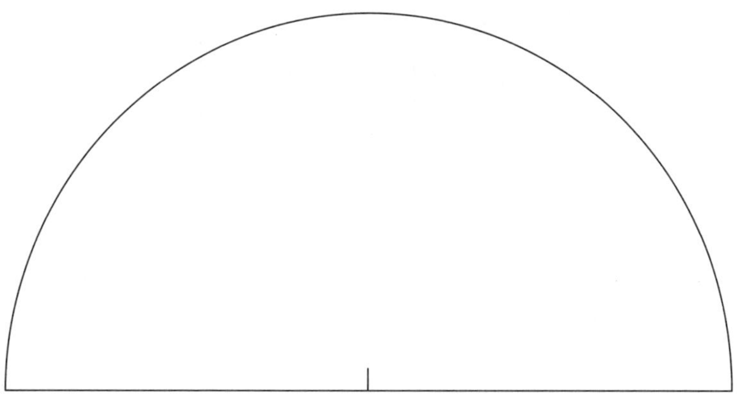

71 LECTURE D'UN HISTOGRAMME

Poitiers, 1998

- Histogramme et tableau des effectifs

Pour être vendues, les pommes doivent être calibrées : elles sont réparties en caisses suivant leur diamètre.
Dans un lot de pommes, un producteur a évalué le nombre de pommes pour chacun des six calibres rencontrés dans le lot.
On a pu ainsi construire l'histogramme ci-après.

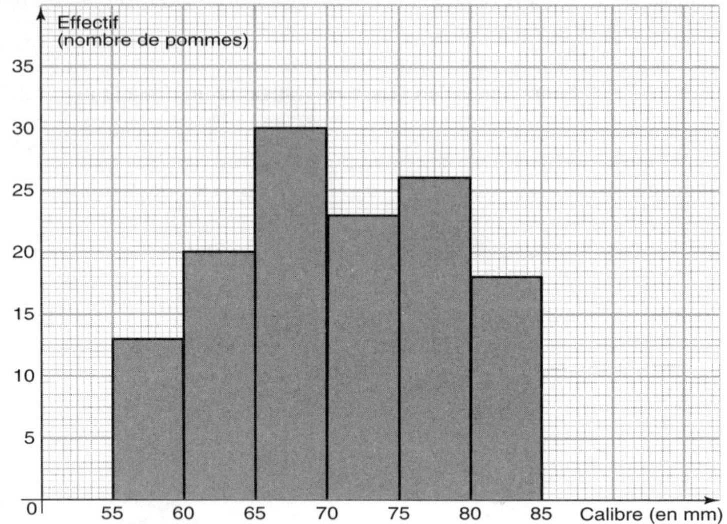

1. Compléter le tableau des effectifs :

Calibre (en mm)	[55 ; 60[	[; [	[; [	[; [	[; [	[; [
Effectif (nombre de pommes)						

2 pts

2. a. Calculer l'effectif total de ce lot. *1 pt*

b. Combien de pommes ont un diamètre de moins de 70 mm ? *1 pt*

c. Combien de pommes ont un diamètre d'au moins 75 mm ? *1 pt*

d. Calculer, par rapport à l'effectif total, le pourcentage de pommes dont le diamètre d est tel que $70 \leqslant d < 80$. (On donnera le résultat à 10^{-1} près par excès.)

1 pt

72 LECTURE D'UN TABLEAU

Rennes, 1997

- Lecture d'effectifs dans un tableau
- Compréhension des locutions : « plus de » et « au plus »
- Calcul de pourcentage

Lors d'un concours de pêche, on a pesé les poissons de chaque pêcheur puis on a réparti les résultats de la façon suivante :

Masse x en grammes	$0 < x \leqslant 500$	$500 < x \leqslant 1\,000$	$1\,000 < x \leqslant 1\,500$	$1\,500 < x \leqslant 2\,000$	$2\,000 < x \leqslant 2\,500$
Nombre de pêcheurs	20	10	6	1	3

1. Quel est le nombre de pêcheurs ayant participé au concours ? *1 pt*

2. a. Quel est le nombre de concurrents ayant pêché plus de 1 500 g ? *1 pt*

b. Quel est le nombre de concurrents ayant pêché au plus 1 000 g ? *1 pt*

3. Calculer le pourcentage des concurrents ayant pris une masse x de poisson telle que : $1\,000 < x \leqslant 1\,500$. *2 pts*

73 EXPLOITATION DE DONNÉES STATISTIQUES

Poitiers, 1991

- Diagramme en bâtons
- Pourcentages
- Fréquences
- Lecture d'un tableau
- Moyenne

Dans cet exercice, les données ont été arrondies pour faciliter les calculs.

1. Pour les vendre, les ostréiculteurs classent leurs huîtres par catégories numérotées de 1 à 6.
Une fois classées, un ostréiculteur expédie ses huîtres en caissettes (appelées bourriches) de 100 huîtres. Pour les fêtes de Noël 1990, ses expéditions se sont réparties ainsi :

Catégorie	**1**	**2**	**3**	**4**	**5**	**6**
Nombre de bourriches expédiées	10	40	200	320	360	70

a. Représenter ces données dans un diagramme à bâtons (choisir convenablement les unités graphiques). *1 pt*

b. Déterminer la fréquence en pourcentage pour chaque catégorie. *1,5 pt*

2. On sait que :
– la France compte environ 56,6 millions d'habitants ;
– la consommation annuelle française est de 2 kg environ par habitant ;
– il se produit environ 125 000 tonnes d'huîtres par an.

a. La production française suffit-elle à la consommation des Français ? *0,5 pt*

b. Combien la France produit-elle de kg d'huîtres par habitant en moyenne ? (arrondir à 100 g près). *0,5 pt*

ESPACE

74 LA GÉODE

Caen, 1997

- Section d'une boule par un plan, aire d'un disque
- Trigonométrie dans le triangle rectangle
- Échelle

La Géode

Dans le parc de la Cité des Sciences se trouve la Géode, salle de cinéma qui a, extérieurement, la forme d'une calotte sphérique posée sur le sol, de rayon 18 m.

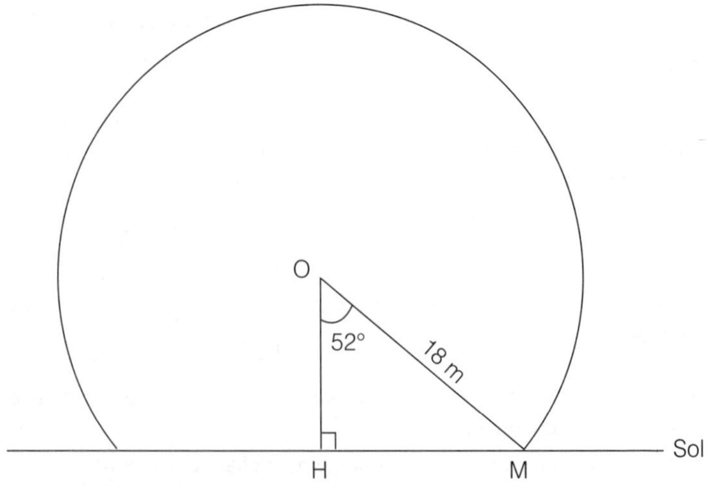

1. Calculer OH (on trouvera 11 mètres à un mètre près). 1 pt
2. Calculer HM (donner le résultat arrondi à 1 m près). 1 pt
3. Calculer la hauteur totale de la géode. 1 pt
4. a. Quelle est la forme de la surface au sol occupée par la géode ? 1 pt
b. Calculer l'aire de cette surface (valeur approchée par défaut à 1 m^2 près). 1 pt
5. On veut représenter le triangle OMH à l'échelle $\frac{1}{300}$.
a. Quelle est la longueur OM sur cette représentation ? 1 pt
b. Construire le triangle OMH à l'échelle $\frac{1}{300}$. 1 pt

75 TRONC DE CÔNE ET DEMI-BOULE

Groupe Est, 1998

- Trigonométrie dans le triangle rectangle
- Volume d'un cône et d'une boule

La figure 1 représente le pommeau de levier de vitesse d'une automobile.
Il a la forme d'une demi-boule surmontant un cône dont on a sectionné l'extrémité comme l'indique la figure 2.
On appelle (C_1) le cône dont la base est le cercle de rayon [AH] et (C_2) le cône dont la base est le cercle de rayon [EK]. Ces deux cercles sont situés dans des plans parallèles.

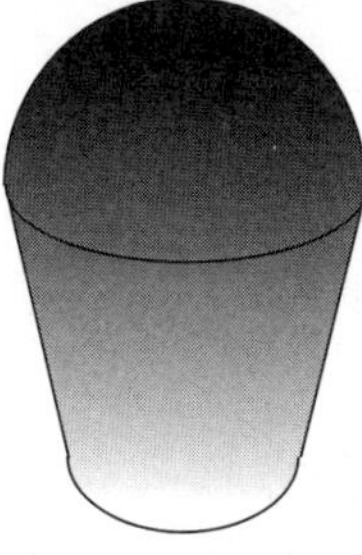

Figure 1

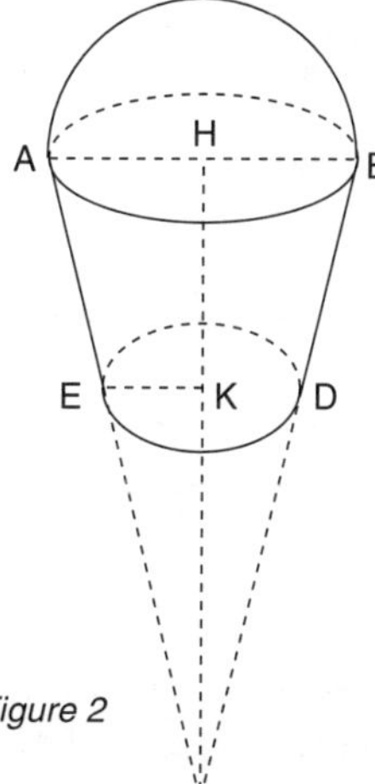

Figure 2

• Rappel des formules :
Volume d'un cône : $\frac{1}{3}\pi R^2 h$;

Volume d'une boule : $\frac{4}{3}\pi R^3$.

On pose : SK = 4 cm ; SH = 10 cm ; AH = 2 cm.

1. En se plaçant dans le triangle rectangle SAH, calculer la tangente de l'angle $\widehat{ASH}$; en déduire une valeur approchée, à un degré près, de l'angle $\widehat{ASH}$. *1 pt*

2. En se plaçant dans le triangle rectangle ESK et en utilisant la tangente de l'angle $\widehat{ESK}$, montrer que : EK = 0,8 cm. *1 pt*

3. a. Calculer les volumes V_1 et V_2 des cônes (C_1) et (C_2). On donnera des valeurs approchées pour les deux calculs de volumes demandés au cm³ près. *2 pts*

b. Calculer le volume V_3 de la demi-boule ; en donner une valeur approchée au cm³ près. *1 pt*

c. Déduire des résultats précédents une valeur approchée du volume du pommeau. *1 pt*

76 PYRAMIDES ET PARALLÉLÉPIPÈDES

Limoges, 1998

- Théorème de Pythagore
- Volume de pyramides
- Résolution d'une inéquation

L'unité de longueur est le cm. On ne demande pas de reproduire le dessin sur la copie.

On donne un parallélépipède rectangle ABCDEFGH tel que :

AB = 4 ; BC = 3 ; AE = 6.

Un point S choisi sur l'arête [AE] permet de définir deux pyramides :

– SABCD de sommet S, de hauteur SA, de volume V_1 ;

– SEFGH de sommet S, de hauteur SE, de volume V_2.

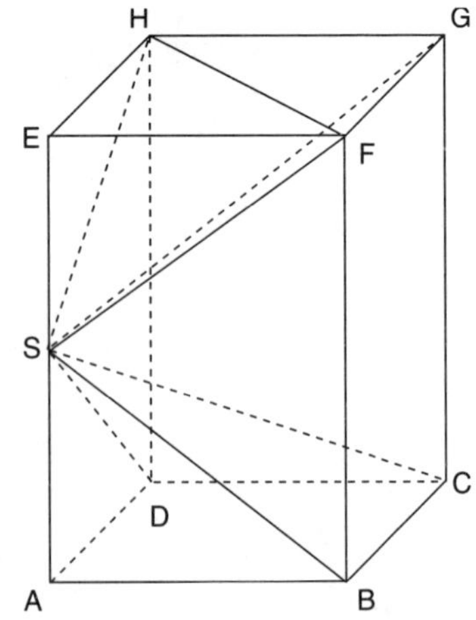

1. On suppose que AS = 3.

a. Calculer les distances FH, SH et SF (donner les valeurs exactes). *1,5 pt*

b. Démontrer que le triangle FHS est isocèle. *1 pt*

2. On suppose à présent que AS = x $(0 \leqslant x \leqslant 6)$

a. Exprimer les volumes V_1 et V_2 en fonction de x. 2 pts

b. Comment choisir x pour que $V_2 \geqslant V_1$? 1,5 pt

77 PRISME DROIT

Rennes, 1998

- Mathématisation d'un problème concret
- Prisme droit
- Représentation à l'échelle
- Quadrilatères particuliers et aires

On peut assimiler un appentis (petit bâtiment adossé à un mur et servant de hangar) à un prisme droit dont la base est un trapèze rectangle ABCD. Les murs latéraux sont les deux trapèzes rectangles ABCD et EFGH.
On a AB = AD = 2 m et AE = CD = 4 m.

Les parties A et B sont indépendantes.

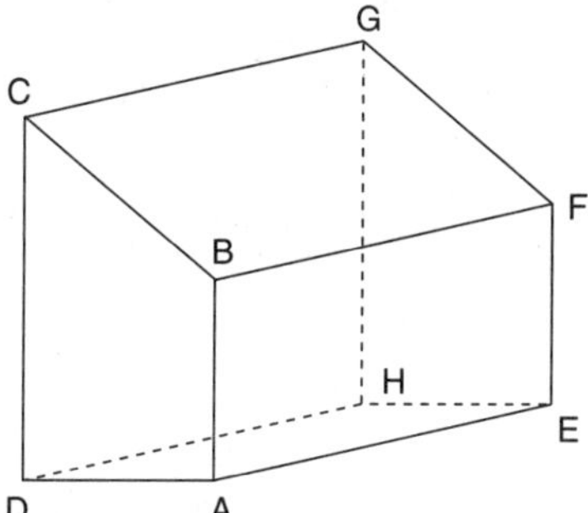

Partie A : Construction des murs latéraux

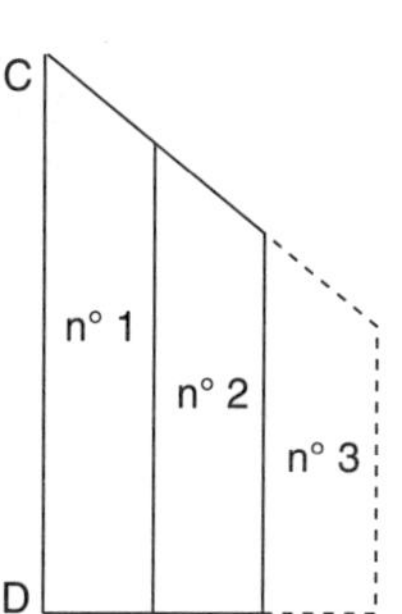

1. Représenter le mur ABCD à l'échelle 1/40.
La construction des deux murs latéraux est réalisée avec des planches de bois rectangulaires de 200 cm de long et 40 cm de large suivant le schéma ci-contre.
Il faudra donc monter cinq panneaux (numérotés de 1 à 5) pour construire le mur ABCD. 1,5 pt

2. a. Représenter les cinq panneaux sur le plan réalisé à la question 1. 1 pt

b. Le premier panneau (n° 1) a pour hauteur 4 m.
Montrer que la hauteur du panneau n° 2 est 3,60 m. Quelle est celle du panneau n° 3 ? 1 pt

3. Chaque panneau est constitué d'une planche de base (de 200 cm sur 40 cm) complète et d'un morceau nécessitant une découpe.
On commence par construire le panneau n° 1.

a. Combien faut-il de planches pour le réaliser ? 1 pt

b. Il reste une « chute » après la découpe et la pose des morceaux utiles. Quelle en est la forme ? 1 pt

c. On veut utiliser cette chute pour éviter les pertes. Quel panneau cette chute permet-elle de terminer ? (On suppose qu'on aura déjà posé, pour ce panneau, la planche de base entière). *0,5 pt*

4. a. Montrer que, de la même façon, il ne faut que trois planches au total pour construire les panneaux n° 2 et n° 4. *1 pt*

b. En déduire le nombre minimum de planches nécessaires à la construction du mur ABCD, puis le nombre minimum de planches nécessaires à la construction des deux murs latéraux. *1 pt*

Partie B : Construction du toit

1. Quelle est la nature du quadrilatère BCGF ? *1 pt*

2. Calculer la longueur réelle du segment [BC]. En déduire que l'aire du toit est $8\sqrt{2}$ m^2. *2 pts*

3. Le coût de la construction des murs latéraux est 4 800 F. La dépense totale ne doit pas excéder 9 000 F. Déterminer le prix maximum que l'on peut dépenser par m^2 de toiture. (On arrondira la somme au franc près.) *1 pt*

78 GÉOMÉTRIE PLANE DANS UN PLAN DE L'ESPACE

Dijon, 1996

- Parallélisme de droites
- Théorème de Thalès

[AD] est un diamètre d'un puits de forme cylindrique.
Le point C est à la verticale de D, au fond du puits.

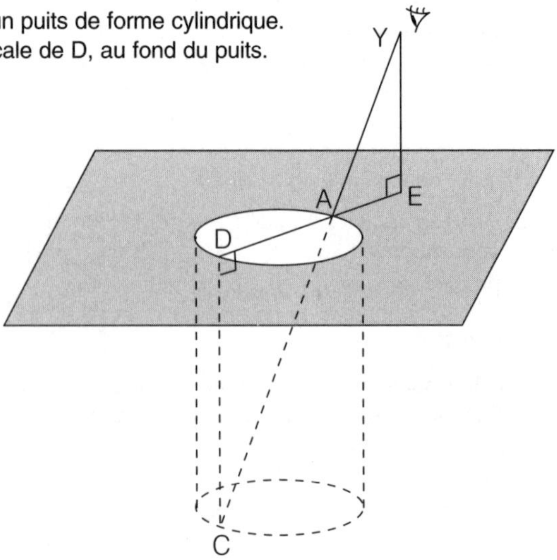

Une personne se place en un point E de la demi-droite [DA) de sorte que ses yeux soient alignés avec les points A et C.
On note Y le point correspondant aux yeux de cette personne.
On sait que :
AD = 1,5 m ; EY = 1,7 m ; EA = 0,6 m.

1. Démontrer que les droites (DC) et (EY) sont parallèles. *1,5 pt*

2. Calculer DC, profondeur du puits. *2,5 pts*

GÉOMÉTRIE PLANE SANS COORDONNÉES

79 AUTOUR DU TRIANGLE RECTANGLE

Lille, 1998

- Théorème de Pythagore
- Utilisation d'une formule
- Cercle circonscrit à un triangle particulier

ABC est un triangle tel que AB = 4,2 cm ; AC = 5,6 cm et BC = 7 cm.

1. Démontrer que ABC est un triangle rectangle. *1,5 pt*

2. Calculer son aire. *1 pt*

3. On sait que si R est le rayon du cercle circonscrit à un triangle dont les côtés ont pour longueurs a, b, c données en cm, l'aire de ce triangle est égal à $\frac{abc}{4R}$.

a. En utilisant cette formule, calculer le rayon du cercle circonscrit à ABC. *1,5 pt*

b. Pouvait-on prévoir ce résultat ? (justifier la réponse). *1 pt*

80 RÉDUCTION D'UNE FIGURE

Groupe Est, 1998

- Aires de disques
- Reproduction d'une figure à une échelle donnée

Le motif suivant est dans un carré de 8 cm de côté.

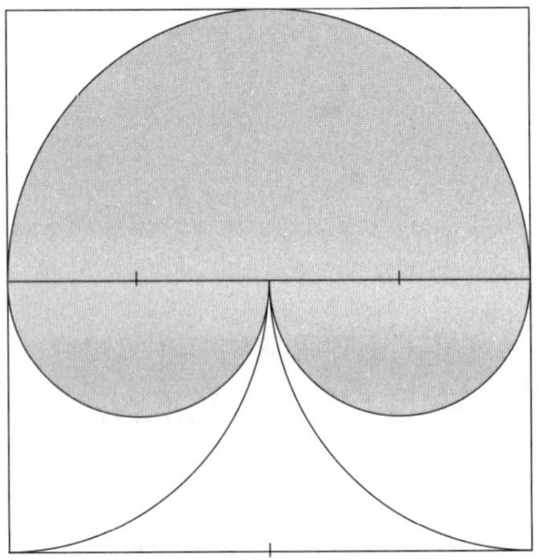

1. Calculer l'aire de la surface grisée. *1,5 pt*

2. Reproduire la figure à l'échelle $\frac{1}{2}$. *2,5 pts*

81 GÉOMÉTRIE DU TRIANGLE

Groupe Sud, 1998

- Bissectrices et cercle inscrit dans un triangle
- Théorèmes de Thalès et de Pythagore
- Trigonométrie dans un triangle rectangle
- Triangle particulier et angles associés
- Angles alternes-internes
- Aires de triangles

Prélude

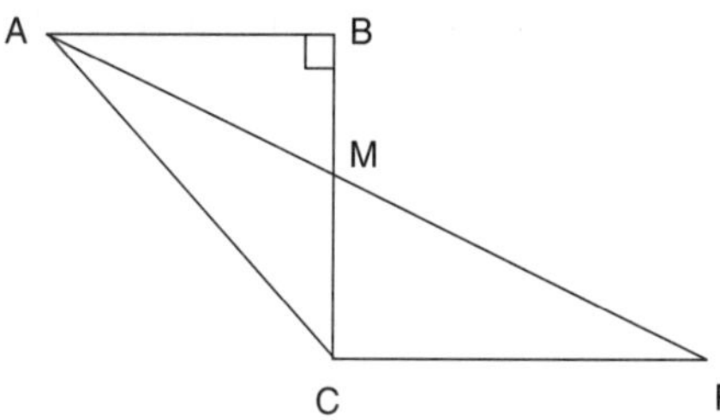

1. D'après la figure ci-contre, tracer ABCP en respectant les données suivantes :
AB = 6 cm ;
BC = 8 cm ;
BM = 3 cm ;
(CP) // (AB). *1 pt*

2. Mesurer les angles $\widehat{BAM}$ et $\widehat{MAC}$. *0,5 pt*
Pourquoi ces mesures ne permettent-elles pas d'affirmer que (AM) est la bissectrice de $\widehat{BAC}$? *0,5 pt*

I et II peuvent être traitées indépendamment l'une de l'autre.

Partie I

1. En considérant le triangle ABC :
a. calculer AC. *1 pt*
b. calculer $\widehat{BAC}$ et $\widehat{BAM}$ le plus précisément possible. *1 pt*
Expliquer pourquoi les valeurs obtenues ne permettent pas d'affirmer que (AM) est la bissectrice de $\widehat{BAC}$. *0,5 pt*

2. En considérant les triangles ABM et MCP, calculer CP. *1,5 pt*

3. Quelle est la nature de ACP ? Que peut-on en déduire pour $\widehat{MAC}$ et $\widehat{CPM}$? *1 pt*

4. Démontrer alors que $\widehat{MAC} = \widehat{BAM}$ et donc que (AM) est bien la bissectrice de $\widehat{BAC}$. *1 pt*

Partie II

1. (AM) est, d'après la **partie I**, la bissectrice de $\widehat{BAC}$. Sur la figure tracée à la première question du prélude :
– tracer la bissectrice, d, de $\widehat{ABM}$; *0,5 pt*
– nommer O le point d'intersection de la droite d et de la droite (AM) ; *0,5 pt*
– tracer la hauteur issue de O du triangle AOB et la hauteur issue de O du triangle BOM ; *1 pt*
Ces hauteurs sont des rayons du cercle inscrit dans le triangle BAC.
– tracer ce cercle. *0,5 pt*

2. a. Calculer l'aire du triangle ABM. *0,5 pt*
b. Exprimer l'aire du triangle AOB et l'aire du triangle BOM en fonction du rayon *r* du cercle inscrit dans le triangle BAC. *1 pt*
c. Trouver une relation entre ces trois aires. *0,5 pt*
En déduire le rayon *r*. *0,5 pt*

82 TRIANGLE ET QUADRILATÈRE PARTICULIERS

Nantes, 1997

- Droites particulières d'un triangle équilatéral
- Trigonométrie dans un triangle rectangle
- Théorèmes de Thalès et de Pythagore
- Aires d'un triangle et d'un losange
- Quadrilatère particulier

On considère un triangle équilatéral ABC.
Les droites (OA), (OB) et (OC) sont les trois médiatrices du triangle ABC. La longueur OB est 6 cm.
La droite (OA) coupe le segment [BC] en A'.
On ne demande pas de reproduire la figure.

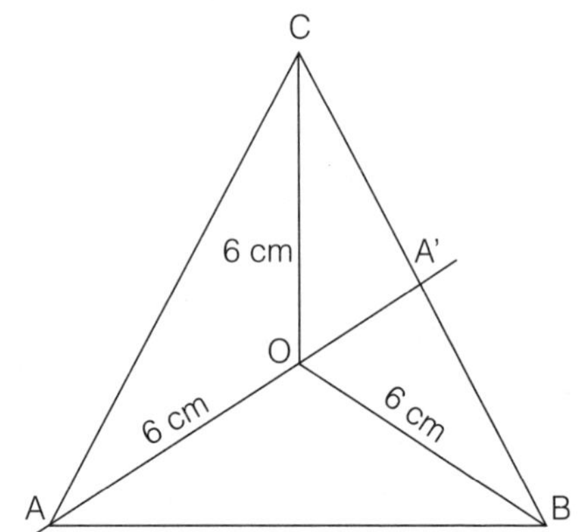

1. Justifier que l'angle $\widehat{OBA'}$ mesure 30°. *1 pt*

2. a. En utilisant sin $\widehat{OBA'}$, démontrer que la longueur du segment [OA'] est 3 cm. *1,5 pt*

b. Démontrer que la longueur du segment [BA'] est $3\sqrt{3}$ m. *1,5 pt*

c. En déduire la longueur exacte du segment [BC]. *1 pt*

3. Soit E le point du segment [OC] tel que OE = 2 cm.
La parallèle à la droite (BC) passant par le point E coupe le segment [OB] en F.
Calculer les longueurs des segments [OF] et [EF]. *2,5 pts*

4. Démontrer que l'aire du triangle COB est $9\sqrt{3}$ cm^2. *1 pt*

5. Le cercle circonscrit au triangle ABC coupe la droite (AA') en A et en un autre point noté K.
Démontrer que le quadrilatère OBKC est un losange. *2 pts*

6. Calculer l'aire du losange OBKC. *1,5 pt*

83 TRIANGLES RECTANGLES ET DISQUES

Bordeaux, 1997

- Propriétés du triangle rectangle
- Droite des milieux
- Aire d'un disque

On considère un cercle de diamètre [AB]. Soit C un point de ce cercle et D le symétrique de A par rapport au point C. La parallèle à la droite (BC) passant par le point D coupe la droite (AB) en E.

1. Réaliser une figure. *1 pt*

2. Quelle est la nature du triangle ABC ? *1 pt*

3. Démontrer que B est le milieu du segment [AE]. *1 pt*

4. Quelle est le centre du cercle circonscrit au triangle ADE ? *1 pt*

5. Exprimer l'aire $\mathscr{A}'$ du disque de diamètre [AE] en fonction de l'aire $\mathscr{A}$ du disque de diamètre [AB]. *1 pt*

84 TRIANGLES PARTICULIERS

Poitiers, 1997

- Trigonométrie dans le triangle rectangle
- Angles alternes-internes
- Propriété de la médiatrice d'un segment

ABCD désigne un rectangle tel que AB = 7,2 cm et BC = 5,4 cm.

1. Dessiner en grandeur réelle ce rectangle et sa diagonale [AC]. *1 pt*

2. Calculer la mesure arrondie au degré de l'angle $\widehat{ACD}$. *1 pt*

3. Démontrer que les angles $\widehat{ACD}$ et $\widehat{CAB}$ sont égaux. *1 pt*

4. La médiatrice du segment [AC] coupe la droite (AB) en E. Placer le point E et montrer que le triangle ACE est isocèle. *1 pt*

5. En déduire une valeur approchée de la mesure de l'angle $\widehat{DCE}$. *1 pt*

REPÉRAGE

85 TRIANGLE RECTANGLE DANS UN REPÈRE

Rouen, 1998

- Points dans un repère
- Calculs de distances
- Trigonométrie dans un triangle rectangle et réciproque du théorème de Pythagore

Le plan est rapporté à un repère orthonormal (O, I, J).

1. Représenter les points : A(−2 ; 3), B(1 ; −1), C(9 ; 5). *1 pt*

2. Calculer les distances AB, AC, BC. *2 pts*

3. En déduire que ABC est un triangle rectangle en B. *1 pt*

4. Calculer tan $\widehat{C}$. En déduire la valeur arrondie de l'angle $\widehat{C}$ à 1° près. *1 pt*

86 QUADRILATÈRE DANS UN REPÈRE

Grenoble, 1998

- Points dans un repère
- Calculs de distances
- Réciproque du théorème de Pythagore
- Interprétation géométrique d'une égalité vectorielle

Le plan est rapporté à un repère orthonormé (O, I, J). *L'unité est le centimètre.*
On considère les points : A(4 ; 4), B(7 ; 5), C(8 ; 2).

1. Placer les points A, B, C sur une figure. *1 pt*

2. Calculer les longueurs AB, AC et BC (on donnera les valeurs exactes). *2 pts*

3. Démontrer que le triangle ABC est isocèle et rectangle. *2 pts*

4. Placer, sur la figure, le point D tel que $\overrightarrow{AB} = \overrightarrow{DC}$. *0,5 pt*

5. Quelle est la nature du quadrilatère ABCD ? Justifier la réponse. *0,5 pt*

87 GÉOMÉTRIE ANALYTIQUE

Nice, 1996

- Calcul de distances
- Réciproque du théorème de Pythagore
- Aire d'un triangle
- Périmètre d'un triangle
- Coordonnées du milieu d'un segment
- Coordonnées d'un vecteur
- Égalité vectorielle et coordonnées d'un point

Le plan est muni d'un repère orthonormal (O, I, J). On considère les points A(6 ; 5), B(2 ; – 3) et C(– 4 ; 0).

1. Faire la figure sur la feuille de copie en prenant le centimètre comme unité sur chaque axe. Le point O, origine du repère, sera placé sur une ligne au centre de la feuille de copie. *1 pt*

2. Calculer les distances AB, BC et CA ; donner les résultats sous la forme $a\sqrt{5}$ où a est un nombre entier positif. *0,5 pt* *0,5 pt* *0,5 pt*

3. En déduire la nature du triangle ABC. Justifier la réponse. *1,5 pt*

4. Calculer l'aire du triangle ABC. *1 pt*

5. Calculer le périmètre du triangle ABC, donner le résultat sous la forme $a\sqrt{5}$, puis la valeur arrondie au dixième de ce résultat. *0,5 pt* *0,5 pt*

6. On considère le cercle circonscrit au triangle ABC.

a. Préciser la position de son centre E en justifiant la réponse. Calculer les coordonnées de ce point. *1 pt* *1 pt*

b. Déterminer la valeur exacte du rayon de ce cercle. *1 pt*

7. Calculer la valeur exacte de tan $\widehat{ACB}$ puis une valeur approchée au degré près de l'angle $\widehat{ACB}$. *1 pt* *0,5 pt*

8. Calculer les coordonnées du vecteur $\overrightarrow{CA}$. En déduire les coordonnées du point D tel que ACBD soit un parallélogramme. *0,5 pt* *1 pt*

88 GÉOMÉTRIE ANALYTIQUE

Rouen, 1997

- Points dans un repère
- Égalité vectorielle et construction
- Calculs de distances
- Quadrilatère particulier
- Coordonnées du milieu d'un segment
- Équation de droite
- Point particulier dans un triangle

Le plan est rapporté à un repère orthonormal (O, I, J) tel que OI = OJ = 1 cm.

1. Placer les points A(5 ; 0) ; B(– 1 ; – 2) ; C(1 ; 4) et compléter la figure au cours des questions. *1,5 pt*

2. a. Construire le point D tel que $\overrightarrow{BD} = \overrightarrow{BC} + \overrightarrow{BA}$. *1,5 pt*

b. Calculer les distances BC et AB. *2 pts*

c. Déduire des questions **a.** et **b.** que ABCD est un losange. *1 pt*

d. Calculer les coordonnées de son centre K. *1 pt*

3. Déterminer, par lecture graphique ou par le calcul, l'équation de la droite (AC). *1 pt*

1 pt

4. a. Montrer que I est le milieu de [BK] et J le milieu de [BC]. *2 pts*

b. Les droites (CI) et (KJ) se coupent en P.
Que représente le point P pour le triangle BCK ? *1 pt*

THALÈS

89 GÉOMÉTRIE PLANE

Grenoble, 1998

- Réciproque du théorème de Thalès

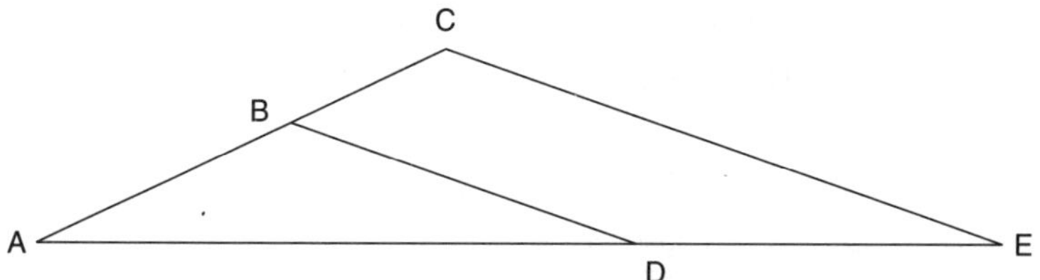

Sur cette figure, l'unité est le centimètre. On donne les longueurs suivantes :
AB = 5 ; BC = 3 ; AE = 16,8 ; DE = 6,3.

Les droites (BD) et (CE) sont-elles parallèles ?
Justifier la réponse. *3 pts*

90 AUTOUR DU TRIANGLE RECTANGLE

Limoges, 1998

- Théorème de Thalès
- Théorème de Pythagore
- Trigonométrie dans le triangle rectangle

Un fabricant d'enseignes lumineuses doit réaliser la lettre Z (en tubes de verre soudés) pour la fixer sur le haut d'une vitrine. Ci-contre le schéma donnant la forme et certaines dimensions de l'enseigne.

Les droites (AD) et (BC) se coupent en O.

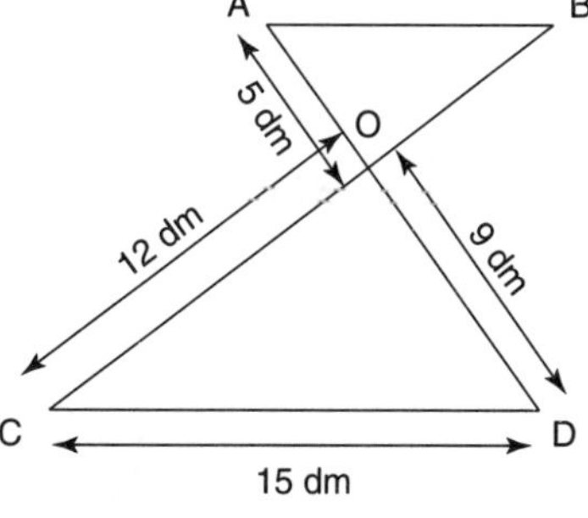

1. Sachant que les droites (AB) et (CD) sont parallèles, calculer les longueurs AB et OB (donner les résultats sous forme fractionnaire). *2 pts*

2. Démontrer que le tube [BC] est perpendiculaire à la droite (AD). *2 pts*

3. Calculer sin $\widehat{OCD}$.
En déduire la valeur arrondie de l'angle $\widehat{OCD}$ à un degré près. *2 pts*

91 QUADRILATÈRES PARTICULIERS

Poitiers, 1998

- Théorèmes de Thalès et de Pythagore
- Trigonométrie dans le triangle rectangle

Dans cet exercice, l'unité de longueur est le centimètre et la figure ci-dessous ne respecte pas les données de longueurs.

ABC est un triangle tel que AB = 8, AC = 10.
On pose : BC = a.

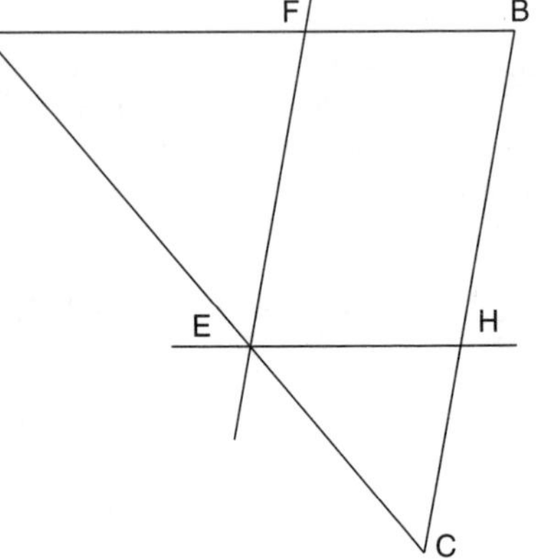

1. Le point E sur le segment [AC] est tel que AE = 6.
La parallèle à la droite (BC) passant par E coupe la droite (AB) en F.
La parallèle à la droite (AB) passant par E coupe la droite (BC) en H.
Calculer EH. Exprimer CH en fonction de a et montrer que $CH = \frac{2}{5}a$. *2 pts*

2. a. Quelle est la nature du quadrilatère EHBF ?
Justifier la réponse. *1 pt*

b. En déduire BF. Exprimer BH en fonction de a. *1 pt*

3. Calculer la valeur de a pour que EHBF soit un losange. *1 pt*

4. Calculer la valeur de a pour que EHBF soit un rectangle.
Donner dans ce cas une valeur approchée à un degré près de l'angle $\widehat{BCA}$. *2 pts*

92 GÉOMÉTRIE PLANE

Grenoble, 1993

- Propriété de Thalès
- Inégalité triangulaire
- Résolution d'équation

Paul se trouve sur une plage et se demande s'il serait capable d'atteindre, à la nage, la bouée qu'il aperçoit. Pour répondre à cette question, il faudrait qu'il sache à quelle distance se trouve cette bouée.
Dans ce but, il imagine le dispositif suivant : il plante verticalement un bâton de 1 mètre de haut, exactement au bord de l'eau, en A, puis il se place en arrière de ce bâton, à l'endroit P où il peut aligner son œil O, le sommet S du bâton et la bouée B.
Paul mesure la distance AP : il trouve 30 m. Il évalue la hauteur de son œil, par rapport à la surface de l'eau, à 1,6 m.
L'objectif de cet exercice est, comme celui de Paul, de calculer la distance BA.
La situation est représentée par le schéma suivant (que l'on ne demande pas de reproduire).

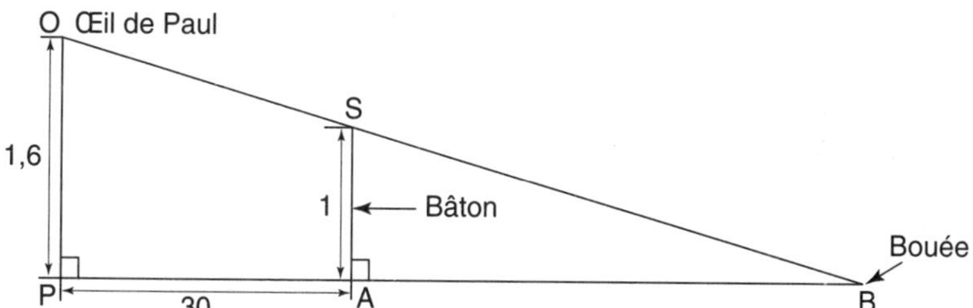

On pose BA = x.

a. Expliquer pourquoi $\frac{BP}{BA} = \frac{OP}{SA}$. *2 pts*

Utiliser cette égalité, après avoir remarqué que BP = $x + 30$, pour montrer que $x + 30 = 1,6x$. *2 pts*

b. Calculer la distance BA, séparant la plage de la bouée. *2 pts*

93 GÉOMÉTRIE PLANE ET CÔNE DE RÉVOLUTION

Amiens, 1998

- Théorèmes de Pythagore et de Thalès
- Réciproque du théorème de Thalès
- Volumes d'un cône de révolution et de sa réduction

ABC est un triangle rectangle en A tel que AB = 9 cm et AC = 6 cm.

D est le point du segment [AC] tel que $AD = \frac{1}{3} AC$.

E est le point du segment [AB] tel que la droite (DE) soit parallèle à la droite (BC).

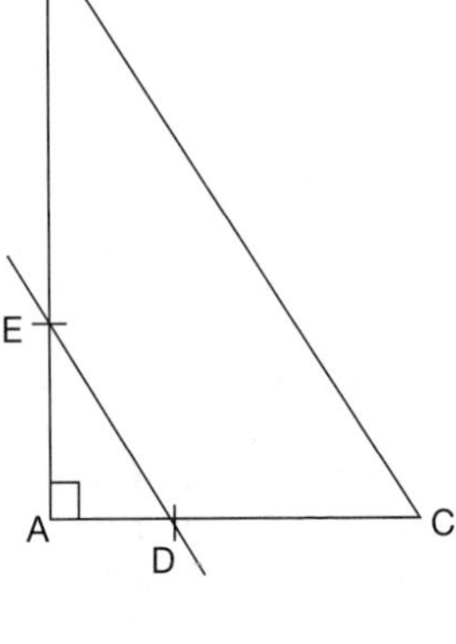

1. Reproduire la figure en grandeur réelle. **1 pt**

2. Calculer BC, puis en donner la valeur arrondie au centième. **1,5 pt**

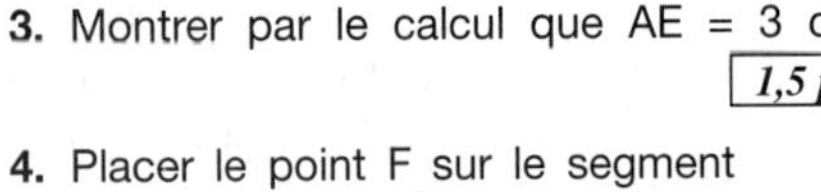

3. Montrer par le calcul que AE = 3 cm. **1,5 pt**

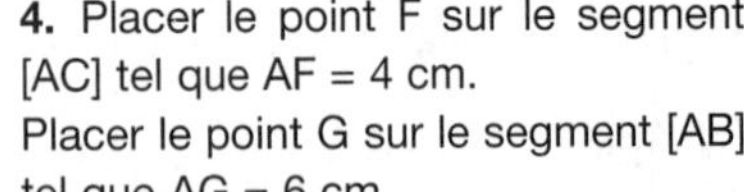

4. Placer le point F sur le segment [AC] tel que AF = 4 cm.
Placer le point G sur le segment [AB] tel que AG = 6 cm.
Tracer le segment [FG]. **0,5 pt**

5. Démontrer que la droite (FG) est parallèle à la droite (BC). **2 pts**

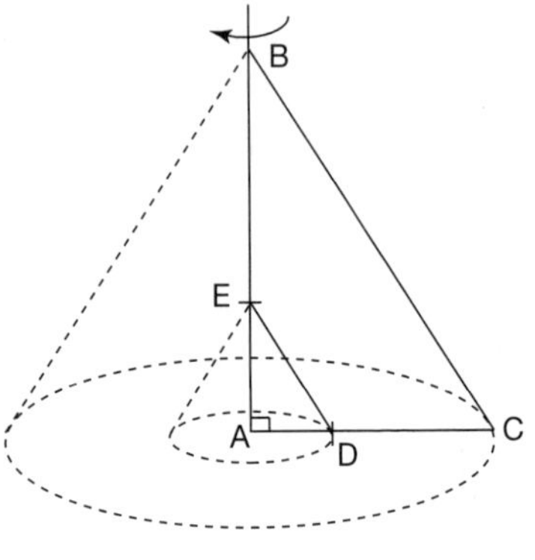

6. En tournant autour de la droite (AB) le triangle ABC engendre un cône $\mathscr{C}_1$.
AB est sa hauteur et AC est le rayon de sa base.

a. Calculer l'aire $\mathscr{B}_1$ de la base du cône en fonction de π. **1 pt**

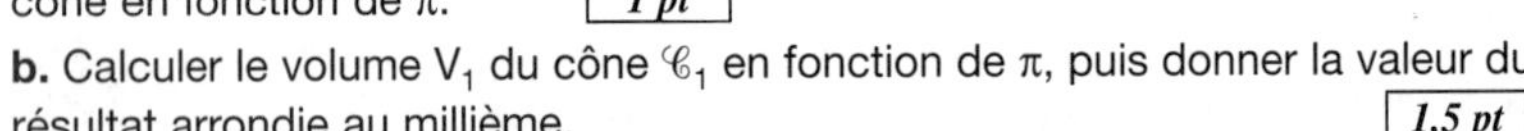

b. Calculer le volume V_1 du cône $\mathscr{C}_1$ en fonction de π, puis donner la valeur du résultat arrondie au millième. **1,5 pt**

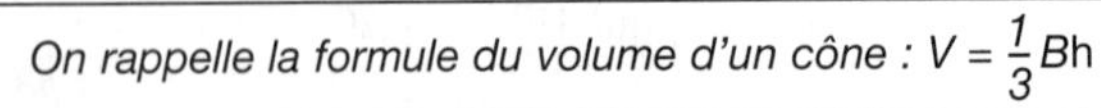

On rappelle la formule du volume d'un cône : $V = \frac{1}{3}Bh$

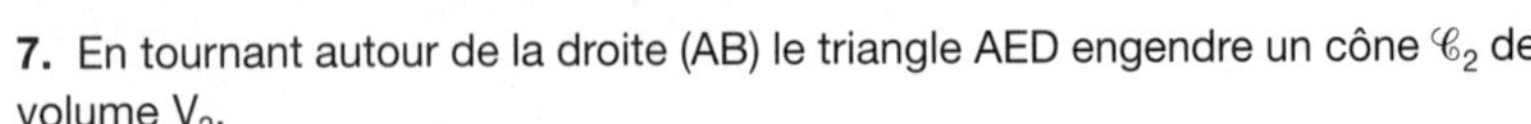

7. En tournant autour de la droite (AB) le triangle AED engendre un cône $\mathscr{C}_2$ de volume V_2.
AE est la hauteur de ce cône, AD est le rayon de sa base.
Le cône $\mathscr{C}_2$ est une réduction de $\mathscr{C}_1$.

a. Quel est le coefficient de réduction ? **1,5 pt**

b. Exprimer le volume V_2 en fonction de V_1. **1,5 pt**

TRANSFORMATIONS

94 IMAGES DE POINTS ET DE FIGURES

Amérique du Sud, 1997

- Lecture d'une figure pour l'obtention d'images
- Égalités vectorielles à partir d'une figure

Observer la figure ci-après puis recopier et compléter les phrases suivantes (il n'est demandé aucune justification et il n'est pas demandé de reproduire la figure) :

1. Le symétrique de ABC par rapport à A est … *0,5 pt*

2. L'image de D par translation de vecteur $\overrightarrow{CA}$ est … *0,5 pt*

3. ABD et … sont symétriques par rapport à la droite (AD). *0,5 pt*

4. $\overrightarrow{DB}$ + … = $\overrightarrow{DF}$. *0,5 pt*

5. $\overrightarrow{AB} + \overrightarrow{AH}$ = … *0,5 pt*

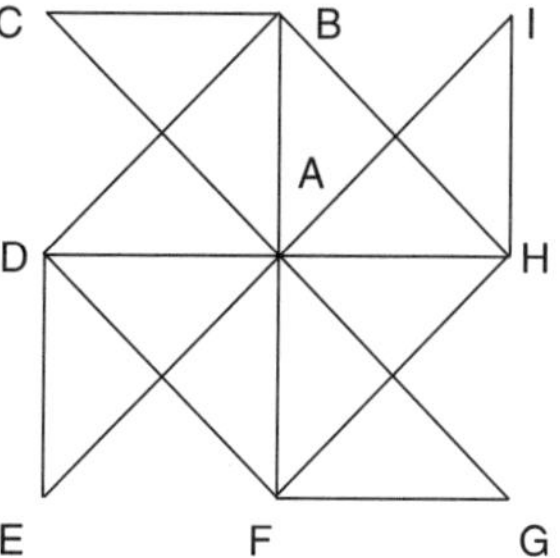

95 CONSTRUCTIONS D'IMAGES DE POINTS

Rennes, 1998

- Rotation et symétrie orthogonale
- Construction d'un point à partir d'une égalité vectorielle

Sur la figure ci-après sont représentés six hexagones réguliers.

1. Construire le point M tel que $\overrightarrow{AM} = \overrightarrow{AB} + \overrightarrow{AC}$. *1,5 pt*

2. Construire le point P, image de G par la rotation de centre A et d'angle 60°, dans le sens des aiguilles d'une montre. *1,5 pt*

3. Construire le point Q, symétrique orthogonal de H par rapport à la droite (BE). *1,5 pt*

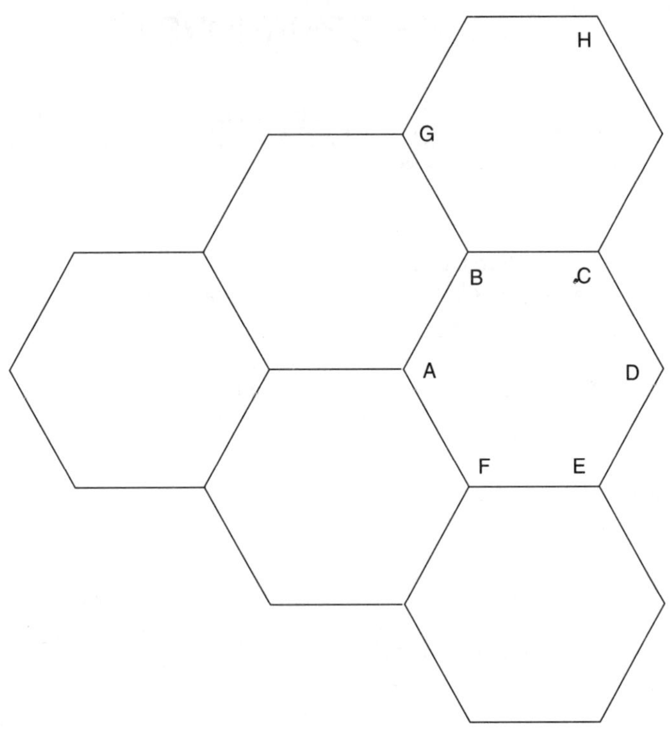

96 CONSTRUCTION DES TRANSFORMÉES D'UNE FIGURE

Caen, 1997

- Symétrie centrale, rotation, translation
- Caractérisation vectorielle d'un parallélogramme

Figure ci-après.
On appelle $\mathcal{F}$ la figure représentée par le polygone ABCDEFG.

1. Construire sur le quadrillage :

a. l'image $\mathcal{F}_1$ de $\mathcal{F}$ par la symétrie centrale de centre B ; *1 pt*

b. l'image $\mathcal{F}_2$ de $\mathcal{F}$ par la rotation de centre E, d'angle 90°, dans le sens des aiguilles d'une montre ; *1 pt*

c. l'image $\mathcal{F}_3$ de $\mathcal{F}$ par la translation de vecteur $\overrightarrow{AE}$. *1 pt*

2. Placer le point O tel que $\overrightarrow{AO} = \overrightarrow{AB} + \overrightarrow{AG}$
(on écrira les lettres, $\mathcal{F}_1$, $\mathcal{F}_2$, $\mathcal{F}_3$ et O sur le dessin). *1 pt*

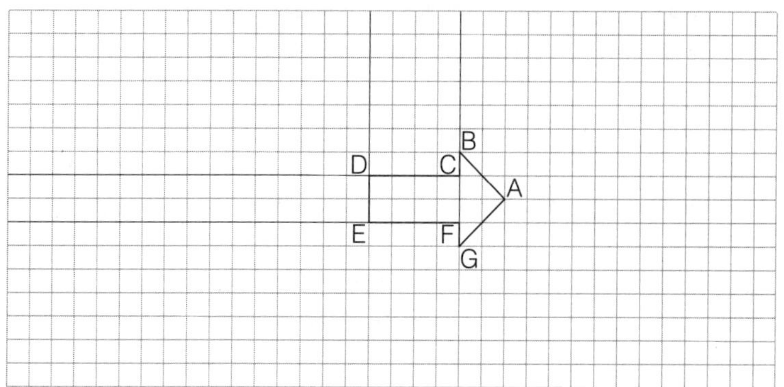

97 TRIANGLE ET TRANSFORMATIONS

Amiens, 1997

- Identification d'une transformation

Chacun des triangles 2, 3, 4 et 5 est obtenu à partir du triangle 1 à l'aide d'une symétrie axiale, d'une symétrie centrale, d'une translation ou d'une rotation.

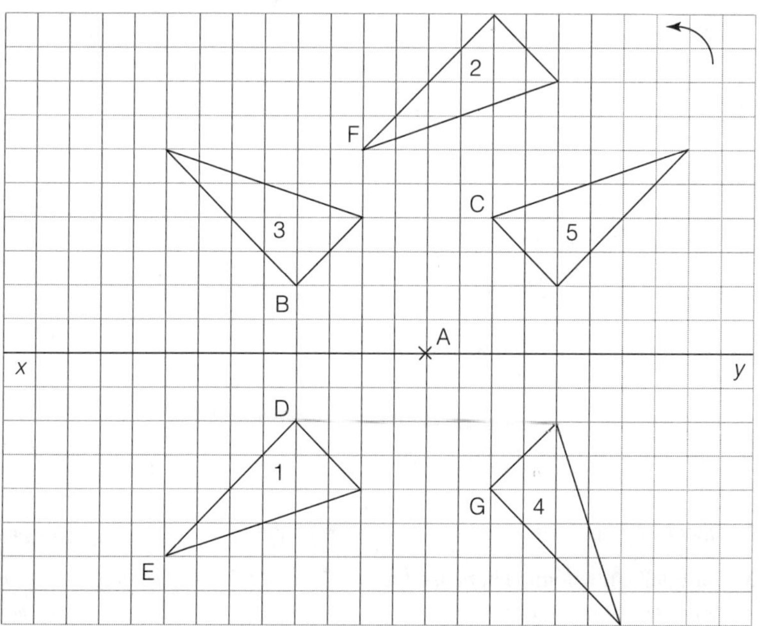

Recopier les quatre phrases suivantes et compléter :

a. L'image du triangle 1 par la symétrie axiale d'axe ... est le triangle ... *1 pt*

b. L'image du triangle 1 par la symétrie centrale de centre ... est le triangle ... *1 pt*

c. L'image du triangle 1 par la translation de vecteur ... est le triangle ... *1 pt*

d. Le triangle 1 a pour image le triangle 4 par la rotation de centre ... et d'angle ... (le sens de la rotation est indiqué par la flèche). *1 pt*

98 CONSTRUCTION DES TRANSFORMÉES D'UNE FIGURE

Créteil - Paris - Versailles, 1997

- Symétries centrales
- Composée de symétries centrales

La figure F_1 est tracée ci-dessous.

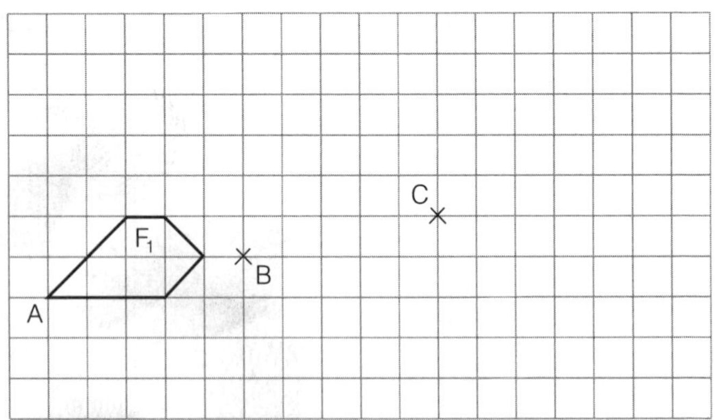

1. Tracer l'image F_2 de F_1 par la symétrie de centre B ; préciser l'image de A par cette symétrie. *1,5 pt*

2. Tracer l'image F_3 de F_2 par la symétrie de centre C. *1,5 pt*

3. Par quelle transformation passe-t-on de F_1 à F_3 ? En utilisant des points du dessin, préciser cette transformation. *1,5 pt*

99 IMAGE D'UN MOTIF PAR DIFFÉRENTES TRANSFORMATIONS

Lille, 1997

- Symétrie axiale
- Translation

Un dessous de plat a la forme d'un rectangle, recouvert d'un carrelage comme le montre la figure ci-après.

1. a. Hachurer l'image du motif ① dans la symétrie d'axe (OG). L'appeler ②.

1 pt

b. Hachurer l'image du motif ① dans la translation de vecteur $\overrightarrow{BF}$. L'appeler ③.

1 pt

c. Hachurer l'image du motif ① dans la symétrie centrale de centre C. L'appeler ④.

1 pt

2. Par quelle translation le motif ① a-t-il pour image le motif ⑤ ?

1 pt

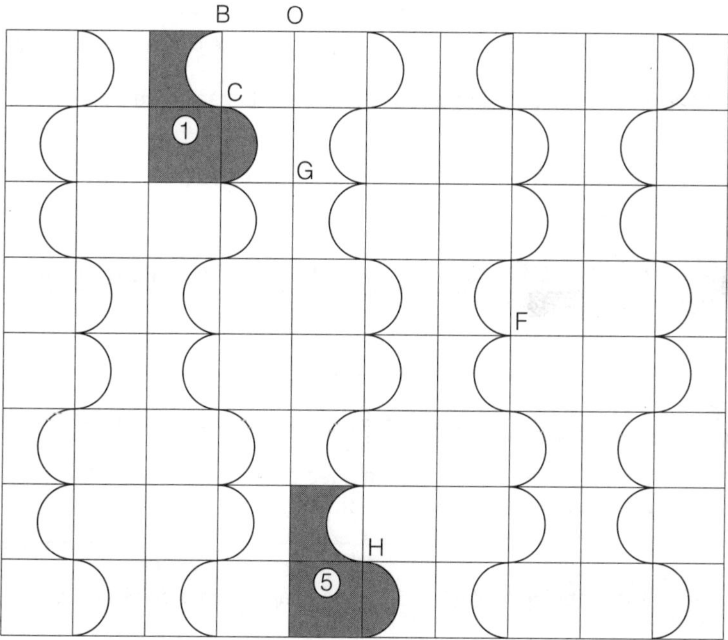

100 TRANSFORMÉES D'UNE FIGURE

Session de remplacement, 1996

- Translation
- Symétrie axiale

Sur la figure ci-dessous, le plan est pavé par des triangles équilatéraux.

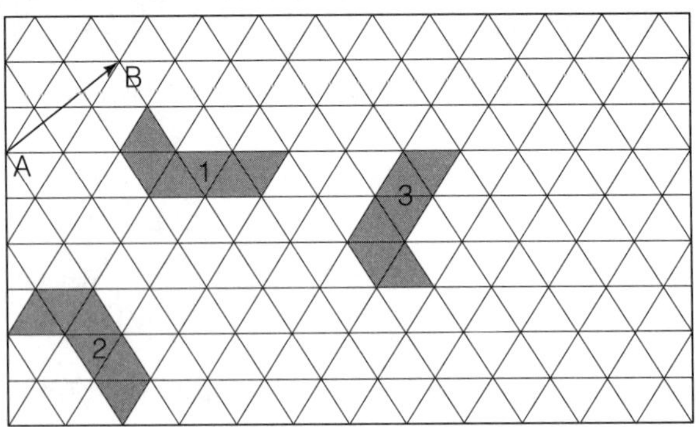

1. Parmi les figures 1, 2, 3, deux figures sont symétriques par rapport à une droite (D). Lesquelles ? Tracer la droite (D) sur la figure ci-avant. *1 pt*

2. Construire la figure 4, image de la figure 3 par la translation de vecteur $\overrightarrow{AB}$. *2 pts*

101 GÉOMÉTRIE ANALYTIQUE ET TRANSFORMATIONS

Limoges, 1997

- Coordonnées de vecteurs
- Quadrilatère particulier
- Constructions des images d'un quadrilatère par différentes transformations

Dans le repère orthonormal (O, I, J) donné ci-après, on a placé trois points A, B, C.

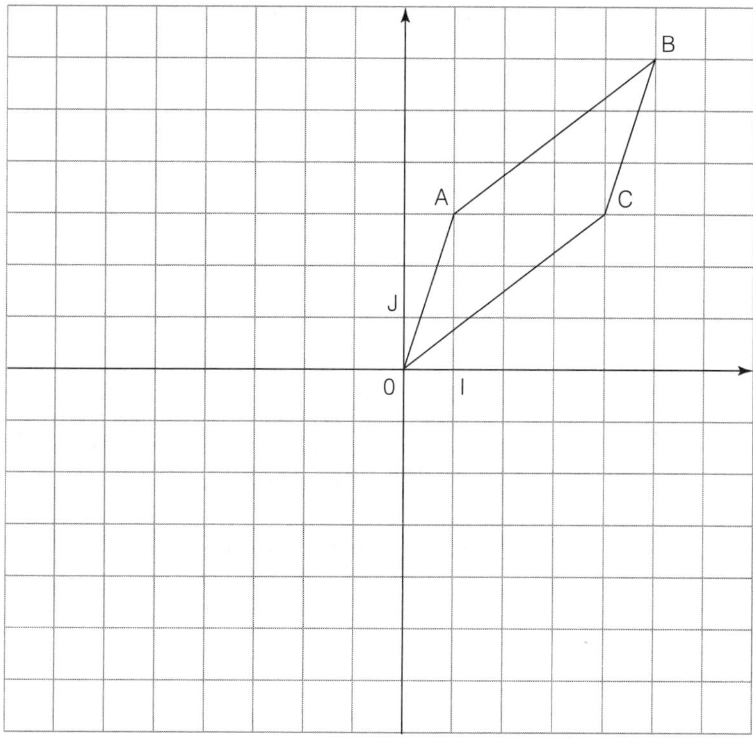

1. a. Donner par lecture graphique les coordonnées des vecteurs $\overrightarrow{AB}$ et $\overrightarrow{OC}$. *1 pt*

b. En déduire la nature du quadrilatère OABC. *1 pt*

2. Construire $OA_1B_1C_1$, image de OABC dans la symétrie orthogonale d'axe (OJ). *1 pt*

3. Construire $O_2A_2B_2C_2$, image de OABC dans la translation de vecteur $\overrightarrow{BO}$. *2 pts*

4. Construire $OA_3B_3C_3$, image de OABC dans la rotation de centre O, d'angle 90°, dans le sens des aiguilles d'une montre. *2 pts*

TRIGONOMÉTRIE

102 GÉOMÉTRIE PLANE

Amiens, 1997

- Calculs de distances à l'aide des relations trigonométriques dans un triangle rectangle

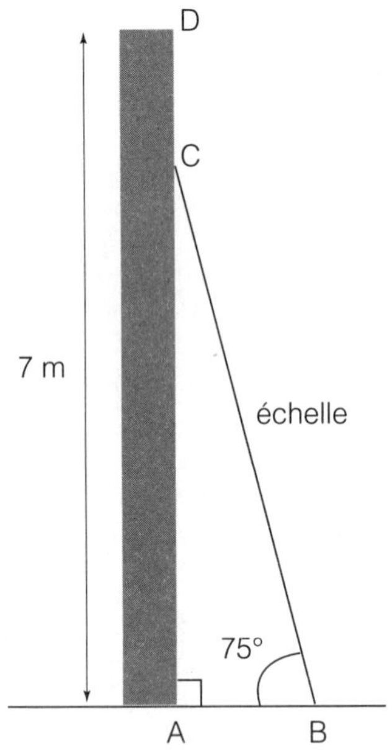

Une échelle de 6 mètres est appuyée contre un mur vertical de 7 mètres de haut. Par mesure de sécurité, on estime que l'angle que fait l'échelle avec le sol doit être de 75°. (Voir schéma ci-contre.)

a. Calculer la distance AB entre le pied de l'échelle et le mur (on donnera le résultat arrondi au centimètre). *2 pts*

b. À quelle distance CD du sommet du mur se trouve le haut de l'échelle (on donnera le résultat arrondi au centimètre) ? *2 pts*

103 GÉOMÉTRIE PLANE ET TRIANGLES

Série technologique, 1997

- Triangles particuliers
- Trigonométrie dans un triangle rectangle

1. Tracer un triangle ABC tel que :
AC = 6 cm ; $\widehat{A} = 55°$; $\widehat{C} = 70°$. *1 pt*

2. Calculer la mesure de l'angle $\widehat{B}$. En déduire la nature du triangle ABC. *1 pt*

3. Construire la bissectrice de l'angle $\widehat{C}$; elle coupe le segment [AB] en un point I.
Que représente le point I pour le segment [AB] ? Justifier. *1 pt*

4. Donner la nature du triangle ACI. Justifier. *0,5 pt*

5. Dans le triangle ACI.

a. Exprimer cos $\widehat{A}$. *0,5 pt*

b. Calculer la longueur du segment [AI]. Arrondir au centième de cm. *0,5 pt*

c. En déduire la longueur du segment [AB]. *0,5 pt*

104 GÉOMÉTRIE PLANE - TRIGONOMÉTRIE

Caen, 1993

- Trigonométrie
- Inégalité triangulaire

Du balcon de mon appartement situé au deuxième étage d'un immeuble, j'aperçois dans le chantier situé en face une grue.
L'immeuble se trouve exactement à 19,80 mètres du pied de la grue. Placé à 8 mètres au-dessus du sol, j'ai déterminé (à l'aide d'un simple rapporteur) l'angle sous lequel je vois la grue. Cet angle est égal à 61°.

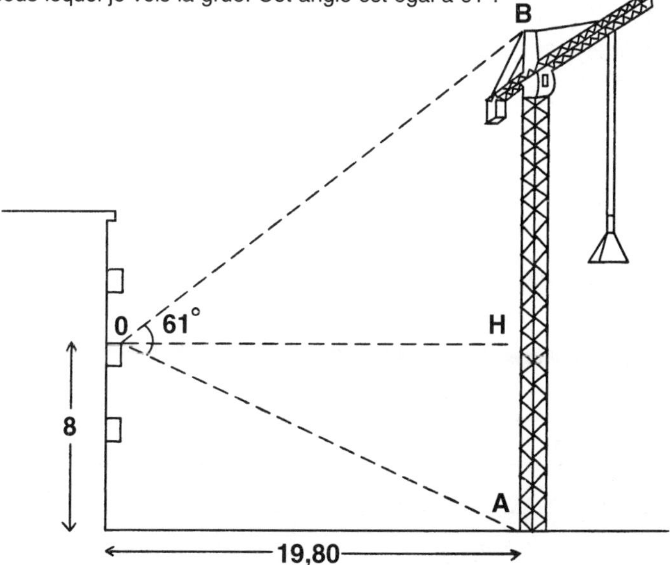

1. En appelant H le projeté orthogonal du point O sur la droite (AB), et en constatant que HA = 8 (mètres), déterminer l'angle $\widehat{HOA}$. Vous donnerez la valeur arrondie au degré près. *1 pt* *1 pt*

2. En considérant le triangle OHB, déterminez HB, puis la hauteur AB de la grue. Vous donnerez les valeurs arrondies au centimètre près. *1 pt* *1 pt*
(Note : la grue est supposée verticale et le sol horizontal.)

105 RELATIONS TRIGONOMÉTRIQUES DANS LE TRIANGLE RECTANGLE

Strasbourg, 1991

- Tangente d'un angle
- Inégalité triangulaire

Monsieur Schmitt, géomètre, doit déterminer la largeur d'une rivière. Voici le croquis qui figure sur son carnet.

AB = 100 m

$\widehat{BAD} = 60°$

$\widehat{BAC} = 22°$

$\widehat{ABD} = 90°$

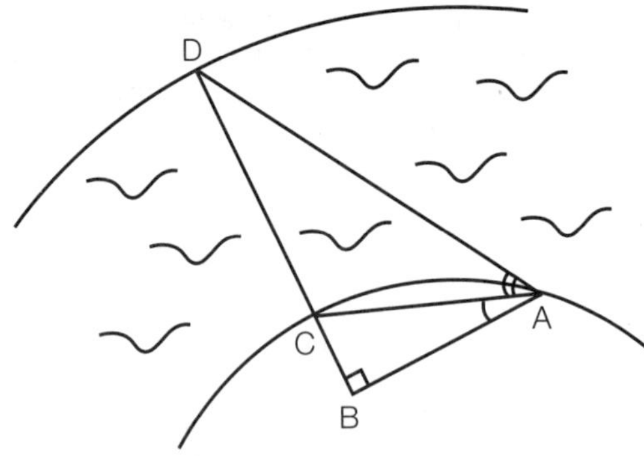

a. Calculer la longueur BC au dixième près. *1 pt*

b. Calculer la longueur BD au dixième près. *1 pt*

c. En déduire la largeur de la rivière à un mètre près. *1 pt*

On pourra se servir du tableau suivant :

Degrés	cos	sin	tan
22	0,927 2	0,374 6	0,404 0
60	0,5	0,866 0	1,732 1

106 GÉOMÉTRIE PLANE

Rennes, 1995

- Trigonométrie
- Théorème de Thalès

A – La tour de Pise fait un angle de 74° avec le sol horizontal. Lorsque le soleil est au zénith (rayons verticaux), la longueur de son ombre sur le sol est de 15 m.

On arrondira les différents résultats au mètre près le cas échéant.

1. Calculer à quelle hauteur au-dessus du sol se trouve le point A de la tour. *2 pts*

2. Calculer la distance AB. *1 pt*

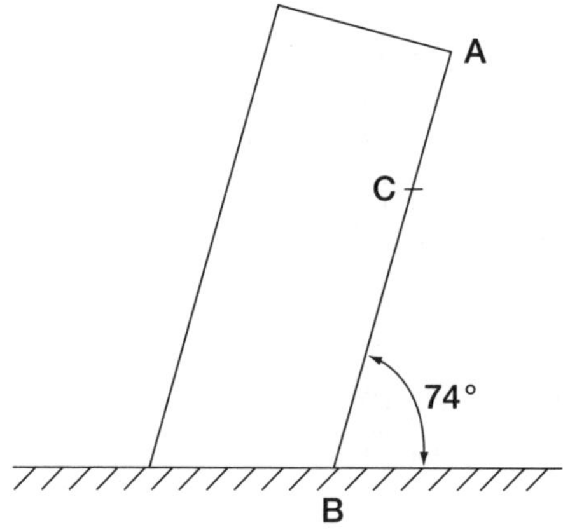

B – Un touriste (point C) a gravi les $\frac{2}{3}$ de l'escalier de la tour.

En se penchant, il laisse tomber verticalement son appareil photo.

1. Montrer que le point d'impact (point D) de l'appareil photo sur le sol se situe à 10 m du pied de la tour (point B). *2 pts*

2. De quelle hauteur est tombé l'appareil photo ? *2 pts*

VECTEURS

107 ÉGALITÉ VECTORIELLE

Amiens, 1998

- Détermination de vecteurs à partir d'une figure

Sur la figure ci-dessous, ABCF et FEDC sont deux parallélogrammes tels que C et F sont les milieux respectifs des segments [BD] et [AE].

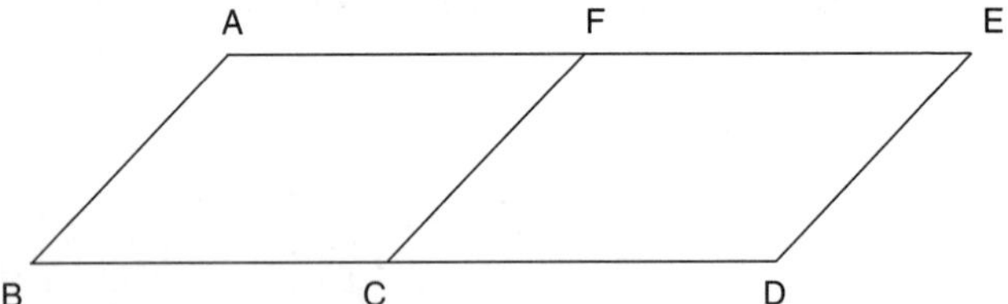

En utilisant uniquement les points de cette figure, donner :

a. Un vecteur égal au vecteur $\overrightarrow{CB}$. *0,5 pt*

b. Un vecteur égal au vecteur $\overrightarrow{CE}$. *0,5 pt*

c. Un vecteur n'ayant pas la même direction que le vecteur $\overrightarrow{CB}$. *0,5 pt*

d. L'image de C par la translation de vecteur $\overrightarrow{AF}$. *0,5 pt*

e. Un vecteur égal au vecteur $\overrightarrow{CF} + \overrightarrow{FE}$. *0,5 pt*

f. Un vecteur égal au vecteur $\overrightarrow{BA} + \overrightarrow{BC}$. *0,5 pt*

108 VECTEURS ET REPÈRE

Lille, 1998

- Points dans un repère
- Coordonnées de vecteurs
- Quadrilatère particulier

(O, I, J) est un repère orthonormal. On donne les points A(1 ; 3), B(3 ; 4) et C(4 ; 1).

1. a. Placer les points A, B, C. *1 pt*

b. Calculer les coordonnées du vecteur $\overrightarrow{AB}$. *1 pt*

2. On considère le point D tel que $\overrightarrow{CD} = \overrightarrow{AB}$.
Calculer les coordonnées du point D. *1,5 pt*

3. Quelle est la nature du quadrilatère ABDC ? Justifier la réponse. *0,5 pt*

109 CALCUL VECTORIEL

Centres étrangers - Afrique, 1995

- Constructions de points
- Égalités vectorielles
- Symétrie centrale

1. Placer trois points A, D et C non alignés et construire le point B tel que $\overrightarrow{DB} = \overrightarrow{DA} + \overrightarrow{DC}$. *1 pt*

2. La parallèle à (AC) passant par B coupe (AD) en E et (DC) en F.
Démontrer que $\overrightarrow{AC} = \overrightarrow{EB}$ et que $\overrightarrow{AC} = \overrightarrow{BF}$. *1 pt* *1 pt*
En déduire que B est le milieu de [EF]. *1 pt*

3. On note O le point d'intersection des diagonales du parallélogramme ABCD, et O' son symétrique par rapport à B.
Démontrer que $\overrightarrow{EO'} = \overrightarrow{OF}$. *2 pts*

110 GÉOMÉTRIE PLANE

Rouen, 1995

- Transformations
- Vecteurs

Sur la figure ci-après, on a :
AB = AC = BC = CD = AD et $\overrightarrow{CD} = \overrightarrow{DE}$.
Soit O le milieu du segment [AC]. (Ne pas refaire la figure.)

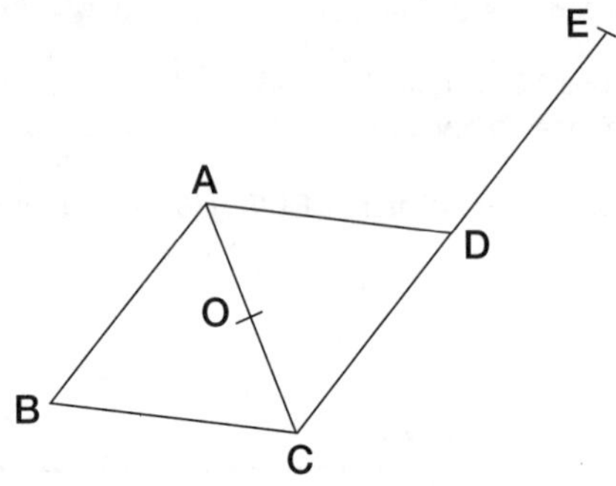

Compléter les phrases suivantes après les avoir recopiées.

1. a. Le point D est l'image du point B par la symétrie ...... *1 pt*

b. Par la translation de vecteur $\overrightarrow{AE}$, le point B a pour image ...... *1 pt*

2. ...... + $\overrightarrow{OD} = \overrightarrow{AD}$. *1 pt*

111 ADDITION VECTORIELLE - ÉGALITÉ VECTORIELLE

Amérique du Nord, 1991

- Coordonnées de vecteurs dans un repère
- Distance de deux points dans un repère

1. Dans un repère orthogonal (O, I, J) représenter les points suivants *(unité le cm) :*
A(1 ; –1) ; B(2 ; 3) ; C(–2 ; 2) ; D(4 ; 2). *1 pt*

2. Placer le point E tel que $\overrightarrow{CE} = \overrightarrow{AB}$. *0,5 pt*

3. Placer le point F tel que $\overrightarrow{AF} = \overrightarrow{AB} + \overrightarrow{AD}$. *0,5 pt*

4. Quelle est la nature du quadrilatère CDFE? Justifier votre réponse. *1 pt*

5. Le quadrilatère ABFD est-il un losange? Justifier votre réponse. *1 pt*

Formulaire

AIRES

- **Carré**
  côté a ; $\mathscr{A} = a^2$.

- **Cube**
  arête a ; $\mathscr{A} = 6a^2$.

- **Cylindre de révolution**
  aire latérale : $2\pi Rh$.

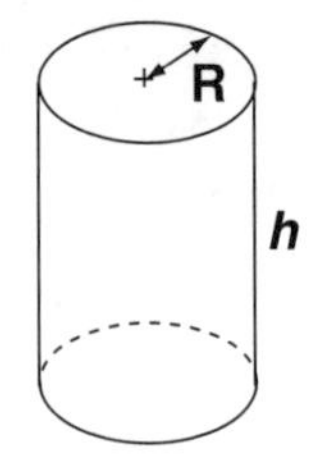

- **Losange**
  $$\mathscr{A} = \frac{d \times D}{2}.$$

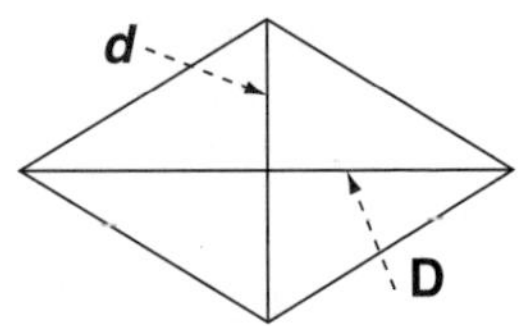

- **Disque**
  rayon R ; $\mathscr{A} = \pi R^2$.

- **Parallélogramme**
  $\mathscr{A} = ah = a'h'$.

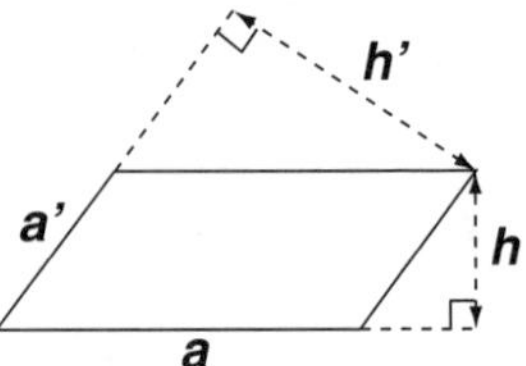

- **Rectangle**
  largeur a
  longueur b : $\mathscr{A} = ab$.

- **Secteur circulaire**
  $$\mathscr{A} = \pi r^2 \frac{\alpha}{360}.$$
  α exprimé en degrés.

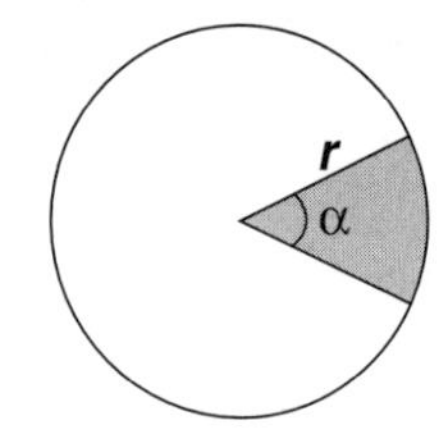

- **Trapèze**
  $$\mathscr{A} = \frac{(a+b)h}{2}.$$

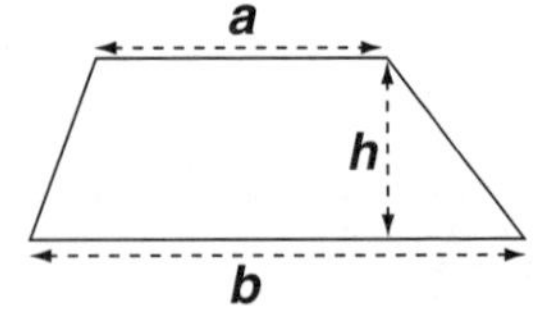

- **Triangle**
  $$\mathscr{A} = \frac{ah}{2}.$$

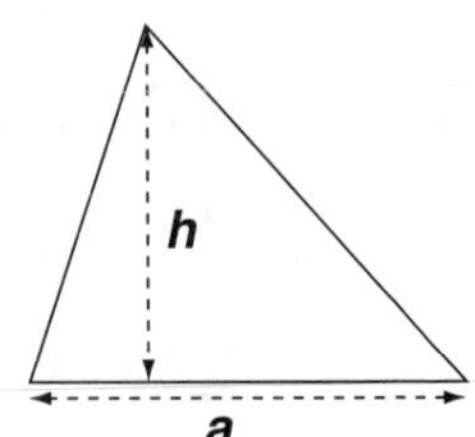

ANGLES

• Parallèles et sécante

$\widehat{A_1} = \widehat{B_3}$.

$\widehat{A_1} = \widehat{B_1}$.

$\widehat{A_1} + \widehat{B_2} = 180°$.

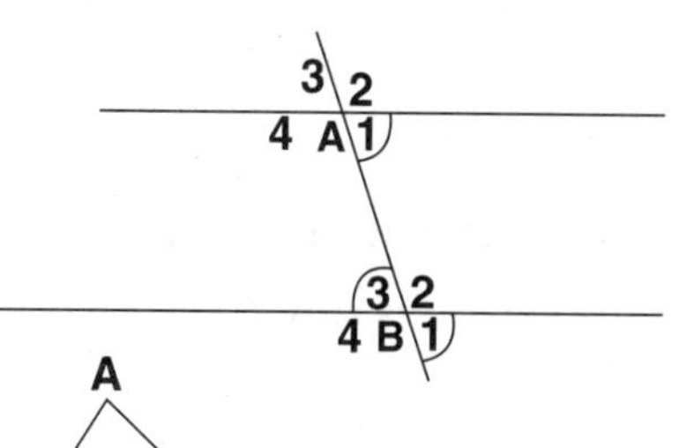

• Triangle

$\widehat{A} + \widehat{B} + \widehat{C} = 180°$.

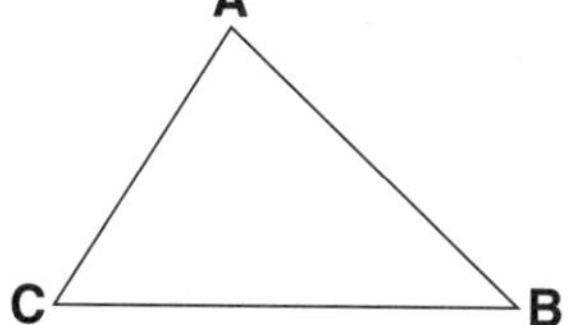

DISTANCE

Soient un repère orthonormé (O, I, J), les points $A(x_A, y_A)$ et $B(x_B, y_B)$.

$$AB = \sqrt{(x_B - x_A)^2 + (y_B - y_A)^2}.$$

ÉGALITÉ

Égalités remarquables

$$(a + b)^2 = a^2 + 2ab + b^2$$
$$(a - b)^2 = a^2 - 2ab + b^2$$
$$(a - b)(a + b) = a^2 - b^2$$
$$(a + b)(c + d) = ac + ad + bc + bd.$$

FRACTIONS

$$d \neq 0 \begin{cases} \dfrac{a}{d} + \dfrac{b}{d} = \dfrac{a+b}{d} \\ \dfrac{a}{d} - \dfrac{b}{d} = \dfrac{a-b}{d} \end{cases}$$

$$\begin{matrix} b \neq 0 \\ d \neq 0 \\ c \neq 0 \end{matrix} \begin{cases} \dfrac{a}{b} \times \dfrac{c}{d} = \dfrac{ac}{bd} \\ \dfrac{a}{b} : \dfrac{c}{d} = \dfrac{a}{b} \times \dfrac{d}{c} = \dfrac{ad}{bc} \end{cases}$$

$$\begin{matrix} a \neq 0 \\ b \neq 0 \end{matrix} \quad \frac{a}{b} \times \frac{b}{a} = 1 \ ; \quad \begin{matrix} k \neq 0 \\ b \neq 0 \end{matrix} \quad \frac{a \times k}{b \times k} = \frac{a}{b}.$$

FORMULAIRE

INÉGALITÉ TRIANGULAIRE

Quels que soient les points A, B et C

$$AC \leqslant AB + BC.$$

LONGUEUR

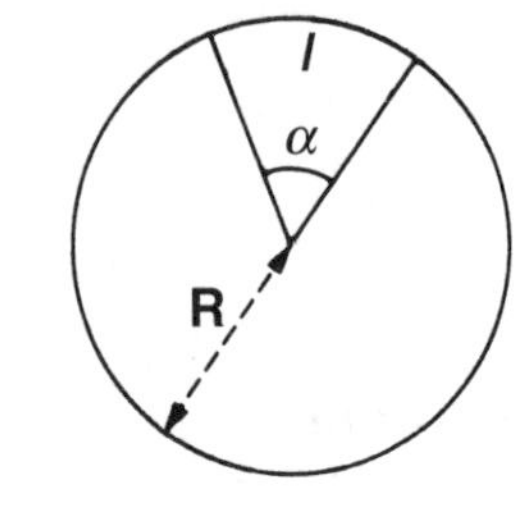

- **Arc de cercle**

  rayon R ; $l = 2\pi R \times \frac{\alpha}{360}$.

  α exprimé en degrés.

- **Cercle**

  $L = 2\pi R$.

MÉDIANE

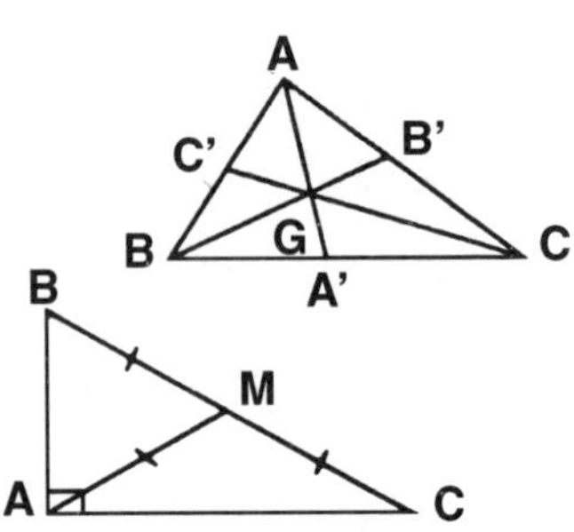

- **Triangle quelconque de centre de gravité G :**

  $AG = \frac{2}{3} AA'$, $GA' = \frac{1}{3} AA'$.

- **Triangle rectangle**

  AM = BM = CM

MILIEU D'UN SEGMENT

- Le milieu I de [AB] est tel que :

  $x_I = \frac{x_A + x_B}{2}$ et $y_I = \frac{y_A + y_B}{2}$.

PUISSANCE D'UN NOMBRE

- $a \neq 0$ et n entier strictement positif

$$a^n = a \underbrace{\times a \times \ldots \times a}_{n \text{ facteurs}}$$

$$a^{-n} = \frac{1}{a^n}$$

$$a^0 = 1\,; \quad a^1 = a\,; \quad a^{-1} = \frac{1}{a}$$

- $a \neq 0$ et $b \neq 0$ et m et n entiers relatifs

$$a^m \times a^n = a^{m+n}$$

$$\frac{a^m}{a^n} = a^{m-n}$$

$$(a^m)^n = a^{mn}$$

$$(ab)^m = a^m b^m$$

PYTHAGORE

- **Théorème de Pythagore**

  Si le triangle ABC est rectangle en A, alors $BC^2 = AB^2 + AC^2$.

- **Réciproque du théorème de Pythagore**

  Si dans un triangle ABC les points A, B et C sont tels que

  $$BC^2 = AB^2 + AC^2,$$

  alors le triangle ABC est rectangle en A.

RADICAUX

$a \geqslant 0$ par définition $\left(\sqrt{a}\right)^2 = a$

$$a \geqslant 0 \text{ et } b \geqslant 0 \quad \sqrt{ab} = \sqrt{a} \times \sqrt{b}$$

$$a \geqslant 0 \text{ et } b > 0 \quad \sqrt{\frac{a}{b}} = \frac{\sqrt{a}}{\sqrt{b}}$$

si $a \geqslant 0$ et $b \geqslant 0$ et $a \leqslant b$, alors $\sqrt{a} \leqslant \sqrt{b}$

THALÈS

- **Théorème de Thalès**

  Si (MN) // (BC), alors $\dfrac{AM}{AB} = \dfrac{AN}{AC} = \dfrac{MN}{BC}$.

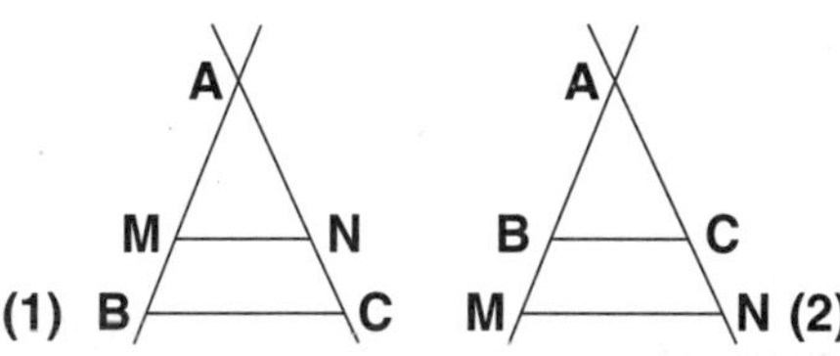

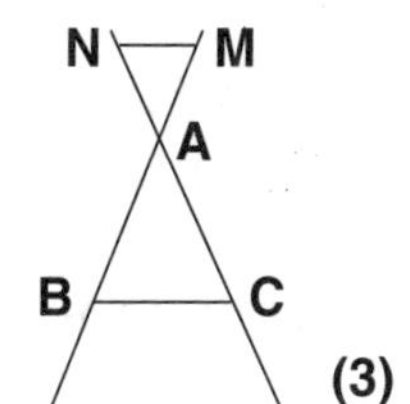

- **Réciproque du théorème de Thalès**

  Si les points A, B, C, M et N sont disposés selon les figures (1), (2) ou (3) et si $\dfrac{AM}{AB} = \dfrac{AN}{AC}$ alors les droites (MN) et (BC) sont parallèles.

FORMULAIRE

TRIGONOMÉTRIE

Le triangle ABC est rectangle en A.

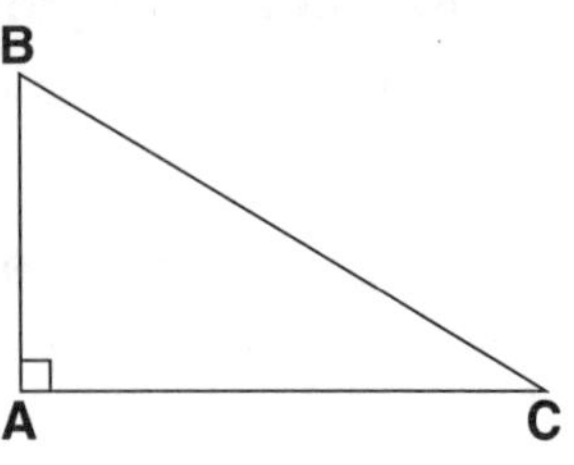

$$\cos \widehat{ABC} = \frac{AB}{BC},$$

$$\sin \widehat{ABC} = \frac{AC}{BC},$$

$$\tan \widehat{ABC} = \frac{AC}{AB}.$$

VOLUME

- **Boule**
  rayon R, $V = \frac{4}{3} \pi R^3$.

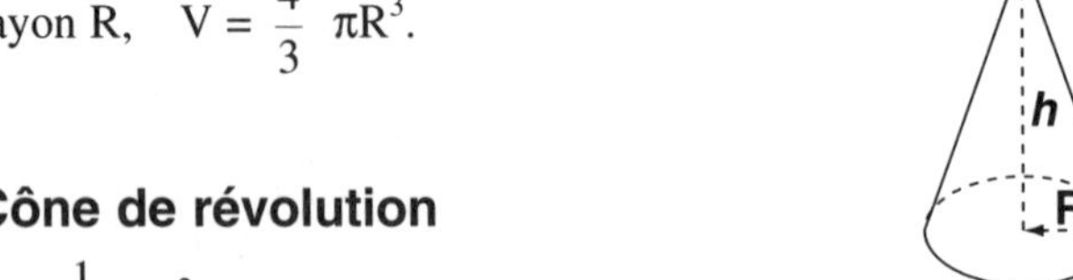

- **Cône de révolution**
  $V = \frac{1}{3} \pi R^2 h$.

- **Cube**
  arête a, $V = a^3$.

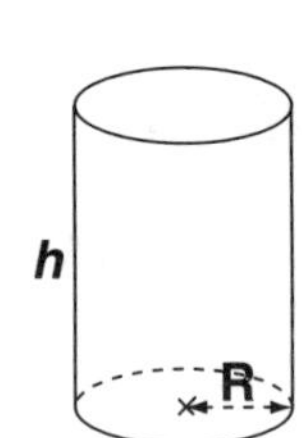

- **Cylindre de révolution**
  $V = \pi R^2 h$.

- **Parallélépipède rectangle**
  arêtes a, b et c ; $V = abc$.

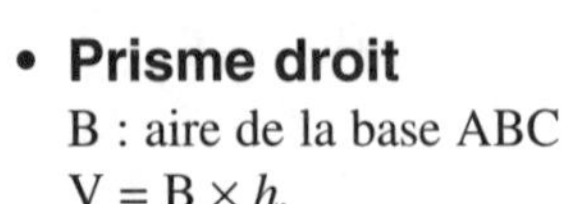

- **Prisme droit**
  B : aire de la base ABC
  $V = B \times h$.

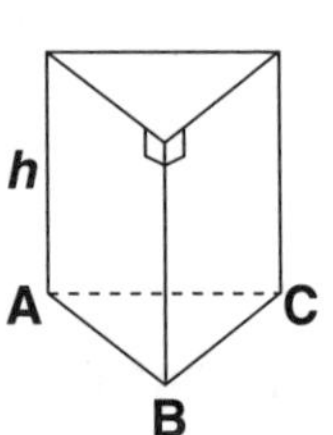

- **Pyramide**
  B : aire du polygone de base
  $V = \frac{1}{3} B \times h$, avec h : hauteur de la pyramide.

FORMULAIRE

N° de projet 10068723 (1) 147 (OSBS 80) - JPM - Août 1999
Imprimé en France par Maury-Eurolivres - 45300 Manchecourt